Wątroba
i drogi żółciowe

Agencja Wydawnicza Jerzy Mostowski poleca

- Gerhard Leibold *Przeziębienie i grypa*
- Gerhard Leibold *Choroby pęcherza i nerek*
- Paul Mohr *Choroby nowotworowe*
- Gerhard Leibold *Wrażliwość na pogodę*
- Peter Hannemann *Bezdech i chrapanie*
- Jutta Plath *Cukrzyca*
- Gerhard Leibold *Niskie ciśnienie krwi*
- Gerhard Leibold *Prostata*
- Michael Anderson *Choroby tętnic i żył*

GERHARD LEIBOLD

Wątroba
i drogi żółciowe

Przekład: Marian Karwat

Projekt okładki
Wojciech Makowski, HAPPY Studio DTP

Rysunki na okładce
Julia Burkacka

Skład
HAPPY Studio DTP

Koordynacja wydania polskiego
Dorota Śrutowska

Redakcja
Alicja Barbara Kaszyńska

Tytuł oryginału
Leber- und Gallenleiden

ISBN 83-7250-216-1

Druk i oprawa
Opolgraf SA, Opole

Na okładce ostropest plamisty, roślina pomocna w leczeniu schorzeń wątroby.

Spis treści

Przedmowa **9**

Układ wątroby i pęcherzyka żółciowego **11**
Pęcherzyk żółciowy i żółć 11
  Budowa pęcherzyka żółciowego 11
  Anatomia układu dróg żółciowych 13
  Skład żółci 13
Funkcje pęcherzyka żółciowego i żółci 16
  Pęcherzyk żółciowy jako narząd gromadzący 16
  Funkcje żółci w procesie trawienia 17
Wątroba – centralne laboratorium ciała 18
  Anatomia wątroby 18
    Położenie wątroby w ciele 18
    Budowa wątroby 20
  Różnorodne zadania wątroby 21
    Ważne dla życia funkcje odtruwania 21
    Wątroba jako „fabryka narzędzi" 22
    Magazynująca funkcja wątroby 23
    Magazynowanie energii w wątrobie 24
    Dostawca budulca dla organizmu 25

Schorzenia wątroby coraz powszechniejsze **27**
Najczęstsze przyczyny schorzeń wątroby 27
  Powszechne błędy żywieniowe 28
  Nadużywanie alkoholu i leków 29
  Trucizny dla wątroby ze środowiska 31
Najważniejsze choroby wątroby 33
  Ogólne zaburzenia funkcji wątroby 33
    Osłabienie czynności wątroby 33
    Obrzmienie i przekrwienie wątroby 35
  Zakażenie pasożytnicze wątroby 37
  Ropień wątroby 38
  Zawał wątroby 39
  Zwyrodnienie tłuszczowe komórek wątrobowych 40
    Przyczyny stłuszczenia wątroby 41

Stadia i objawy stłuszczenia wątroby 42
Zapobieganie i leczenie 44
Ostre i przewlekłe zapalenie wątroby 49
Postacie ostrego zapalenia wątroby 49
Zapalenie wskutek zakażenia wirusowego 50
Bakteryjne zapalenie wątroby 53
Zapalenie wątroby wywołane przez inne czynniki
chorobotwórcze 54
Szczególne postacie ostrego zapalenia wątroby 55
Przewlekłe zapalenie wątroby 56
Skuteczne leczenie zapalenia wątroby 58
Marskość wątroby 62
Ostra marskość wątroby spowodowana truciznami 62
Przewlekła marskość wątroby 63
Klasyczna marskość wątroby zanikowa 64
Marskość wątroby żółciowa 65
Marskość wątroby wskutek glikogenozy 66
Marskość przy schorzeniach serca 67
Leczenie marskości wątroby 68
Rak wątroby 72
Rak wątroby pierwotny 72
Rak wątroby wtórny (przerzutowy) 74
Objawy ostrzegające przed rakiem wątroby 75
Holistyczne leczenie raka 77
Śpiączka wątrobowa – stadium końcowe wielu schorzeń wątroby 81

Choroby pęcherzyka żółciowego **84**
Główne przyczyny wielu schorzeń dróg żółciowych 85
Najczęstsze choroby dróg żółciowych 87
Zapalenie pęcherzyka żółciowego 88
Przyczyny zapalenia 88
Najważniejsze objawy 90
Leczenie metodami medycyny naturalnej 93
Piasek żółciowy i kamienie żółciowe 103
Jak powstają kamienie żółciowe 104
Niejasne objawy ostrzegawcze 106
Dramatyczna kolka żółciowa 108
Leczenie kamicy żółciowej 110
Natychmiastowa pomoc w ostrej kolce 110
Leczenie długotrwałe i zapobieganie nawrotom 115

Rak pęcherzyka żółciowego i dróg żółciowych 124
    Czynniki ryzyka raka dróg żółciowych 124
    Objawy i przebieg choroby nowotworowej 126
    Profilaktyka – wczesne rozpoznanie 129
    Holistyczne leczenie raka 133

Wieloznaczna żółtaczka **136**
Żółtaczka mechaniczna pozawątrobowa 137
Żółtaczka wątrobowa 137
Żółtaczka hemolityczna (przedwątrobowa) 139

Indeks **143**

Przedmowa

Osoby cierpiące na schorzenia wątroby często podejrzewa się o nadmierne spożywanie alkoholu. Dawniej rzeczywiście prawie zawsze to się zgadzało, szczególnie w przypadku marskości wątroby. Także dziś nadużywanie alkoholu ma podstawowy wpływ na rozwój chorób wątroby; w zastraszającym tempie rośnie liczba osób uzależnionych od alkoholu – dotyczy to również kobiet, młodzieży, a nawet dzieci.

Obecnie jednak nie można każdej osobie z dolegliwościami wątroby przypisywać nadmiernego spożywania alkoholu i twierdzić, że sama jest sobie winna. Coraz częściej na choroby wątroby cierpią osoby, które spożywają alkohol w umiarkowanych ilościach lub nie spożywają go wcale.

Dziś nagminnie przyczyną takich chorób jest długotrwałe zażywanie leków chemicznych, które podawane są nieraz bez specjalistycznej kontroli przez lata, a nawet całe dziesięciolecia. Szczególnie niesławną rolę odgrywają tu dostępne bez recepty środki przeciwbólowe, których bezkrytycznie nadużywa się od wielu lat. Recepta lekarska także nie chroni przed nadużywaniem leków, bo wciąż jeszcze jest wielu lekarzy, którzy śpiesznie sięgają po bloczek receptowy, by przepisać syntetyczne środki uspokajające lub inne leki chemiczne przynoszące wątpliwe korzyści. Wątroba jako „centrala odtruwania" musi przetworzyć wszystkie te chemikalia i wskutek tego jest przeciążona.

Do tego dochodzi wszechobecne zanieczyszczenie naszego środowiska licznymi szkodliwymi substancjami chemicznymi, które wdychamy i wchłaniamy wraz z jedzeniem. Wśród nich jest wiele takich, które dla wątroby są silnie trujące. Co prawda w niskiej jednorazowej dawce nie szkodzą temu organowi, ale gdy stale oddziałują i gromadzą się w organizmie, trzeba się liczyć z uszkodzeniem wątroby. Jeśli weźmie się to pod uwagę, nie dziwi już, że obecnie w samych Niemczech 7–8 mln osób cierpi na przewlekłe uszkodzenie wątroby. Ze względu na to, że zazwyczaj choroby te dają początkowo tylko nieznaczne objawy, często zaprzepaszcza się możliwość podjęcia w stosownym czasie skutecznej terapii. Gdy wreszcie rozpozna się uszkodzenie wątroby, okazuje się ono w części przypadków nieuleczalne i po wieloletniej przewlekłej chorobie kończy się śmiercią.

W ostatnim czasie wzrosła także częstość występowania chorób układu pęcherzyka żółciowego. Również i w tym przypadku pewną rolę może odgrywać nadużywanie alkoholu i leków. Główną przyczyną jest jednak w wielu przypadkach typowa dla naszej cywilizacji, niewłaściwa dieta. Nie udało się dotychczas jeszcze dokładnie określić, jak silny wpływ mają czynniki psychiczne. Wydaje się jednak, że rzeczywiście istnieje związek między cholerycznym temperamentem (grec. *chole* = żółć) i schorzeniami pęcherzyka żółciowego, tak jak przypuszczali lekarze już w starożytności.

Ścisłe zazwyczaj związki schorzeń układu wątroby i pęcherzyka żółciowego z nieprawidłowymi zachowaniami sprawiają, że pacjent nie powinien polegać jedynie na pomocy oferowanej mu przez medycynę. Musi być gotowy do zmiany przyzwyczajeń wywołujących chorobę. Tylko wtedy można całkowicie i bez nawrotów wyleczyć schorzenia wątroby i pęcherzyka żółciowego. Medycyna akademicka zaniedbuje terapię holistyczną (całościową). Zazwyczaj ogranicza się do leków i pewnych zaleceń dietetycznych. W nagłych przypadkach usuwa się pęcherzyk żółciowy, a nawet przeszczepia wątrobę.

Za konieczne zmiany nieprawidłowego sposobu życia i żywienia w szerszym sensie medycyny holistycznej odpowiedzialny jest sam pacjent. Niniejsza książka ma służyć ugruntowaniu tego przekonania. Jednocześnie pokazuje ona możliwości zwalczenia choroby za pomocą naturalnych metod leczniczych. Oczywiście, przyrodolecznictwo nie jest w stanie zdziałać cudów, ale wątroba jest narządem obdarzonym zdumiewającą zdolnością regeneracji. Wspierając ją środkami przyrodoleczniczymi, udaje się w części przypadków powstrzymać lub wyleczyć nawet marskość wątroby, którą medycyna akademicka uważa za nieuleczalną.

Układ wątroby i pęcherzyka żółciowego

Wątroba i pęcherzyk żółciowy stanowią jedną jednostkę czynnościową i dlatego określa się je w skrócie jako układ narządów. Pęcherzyk żółciowy, niejako „młodszy brat" wątroby, przede wszystkim współuczestniczy w trawieniu. Życie bez „starszej siostry", wątroby, nie jest możliwe. Wykonuje ona w organizmie około 500 różnych zadań chemicznych, dlatego nazywa się ją „centralnym laboratorium" organizmu.

Wątroba i pęcherzyk żółciowy stanowią jednostkę czynnościową

Pęcherzyk żółciowy i żółć

W porównaniu do wysoce skomplikowanej, wielostronnej wątroby pęcherzyk żółciowy ze swymi kanalikami sprawia wrażenie stosunkowo prostego narządu. Pomimo to nie można nie doceniać jego znaczenia dla trawienia, a częściowo też dla wydalania powstających w organizmie produktów odpadowych.

Pęcherzyk żółciowy ma znaczenie dla układu trawiennego

Budowa pęcherzyka żółciowego

Pęcherzyk żółciowy jest cienkościennym, pokrytym włóknami mięśniowymi woreczkiem z błony śluzowej. Kształtem przypomina gruszkę. Z reguły ten narząd jamisty znajduje się między największym prawym a czworobocznym płatem wątroby, w których jest zagnieżdżony na różną głębokość.

Jest on cienkościennym woreczkiem z błony śluzowej

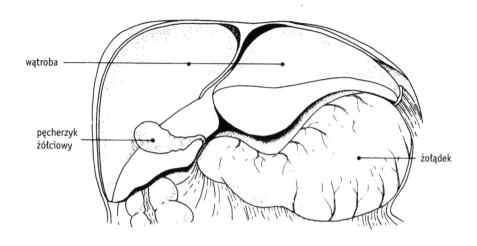

wątroba

pęcherzyk
żółciowy

żołądek

Położenie wątroby, pęcherzyka żółciowego i żołądka

Poza wątrobą pęcherzyk żółciowy znajduje się też w bliskim sąsiedztwie jelita grubego i dwunastnicy. Niekiedy stany zapalne pęcherzyka obejmują również te narządy, a w jelicie grubym może dodatkowo dojść do zrostów.

50 ml żółci

Pęcherzyk mieści w sobie około 50 ml żółci. Włókna mięśniowe gładkie w ścianie z błony śluzowej, których czynność nie zależy od naszej woli, wyciskają w razie potrzeby zmagazynowaną żółć.

W narządzie tym, o długości około 5 cm, wyróżnia się trzon, dno i szyjkę.

Szyjka pęcherzyka
żółciowego

Fałd spiralny

Szyjka pęcherzyka żółciowego zakończona jest fałdem błony śluzowej, zamykającym tak jak zastawka pęcherzyk żółciowy. Ten fałd spiralny (*łac. plica spiralis*) otwiera się normalnie tylko wtedy, gdy żółć napiera na niego pod wpływem skurczu włókien mięśniowych.

Przewód pęcherzykowy

Szyjka przechodzi w *przewód pęcherzykowy*, zespalający się w dalszej jego części z wychodzącym z wątroby przewodem wątrobowym wspólnym w przewód żółciowy wspólny.

Anatomia układu dróg żółciowych

Układ dróg żółciowych ma swój początek w wątrobie. Wokół przewodziku żółciowego włosowatego ułożone są promieniście liczne komórki wątrobowe, w których powstaje żółć. Żółć przenika do mnóstwa takich przewodzików.

Wiele drobnych przewodzików łączy się w większe przewody żółciowe w tkance łącznej wątroby. Ostatecznie wszystkie te przewody żółciowe przechodzą w duży przewód wątrobowy, który wychodzi z wątroby podzielony na dwie części. W dalszym przebiegu zespala się on z wychodzącym z pęcherzyka żółciowego przewodem pęcherzykowym, tworząc przewód żółciowy wspólny, który ma ujście w dwunastnicy.

W miejscu, w którym przewód żółciowy wspólny wchodzi do dwunastnicy, znajduje się zwieracz, którego czynność nie zależy od naszej woli. Zamyka on ujście do dwunastnicy, gdy nie ma w niej pożywienia w postaci papki, co powoduje, że żółć gromadzi się w pęcherzyku żółciowym. Dopiero, gdy treść pokarmowa dostaje się z żołądka do dwunastnicy, zwieracz otwiera się i przepuszcza żółć, która bierze udział w trawieniu.

Wokół przewodziku żółciowego włosowatego ułożonych jest wiele komórek wątrobowych

Przewód żółciowy wspólny

Zwieracz w ujściu do dwunastnicy.

Skład żółci

Komórki wątrobowe ciągle wytwarzają żółć i przekazują ją do przewodzików żółciowych włosowatych. W ciągu 24 godzin wątroba produkuje 700–1200 ml żółci. Składa się ona z kwasów żółciowych i barwników żółciowych.

Kwasy żółciowe wytwarza wątroba z tłuszczowatego cholesterolu, który częściowo powstaje w samym organizmie, a częściowo dostarczany jest wraz z pokarmem pochodzenia zwierzęcego. Zadanie kwasów żółciowych polega na przetworzeniu w jelicie nierozpuszczalnych w wodzie tłuszczów pokarmowych na rozpuszczalne. Jest to proces chemiczny, którego nie trzeba dokładniej wyjaśniać. Istotne jest, że dopiero w postaci rozpuszczalnej w wodzie tłuszcz może być przetworzony przez

700–1200 ml żółci na dobę

Kwasy żółciowe

Zadanie

13

enzymy i ostatecznie przeniknąć przez ścianę jelita do ustroju.

W żółci występują głównie pochodne kwasu cholanowego, np. kwas cholowy i litocholowy. Część z nich występuje w postaci soli (tzw. żółciany). Kwasy żółciowe łączą się z kwasami tłuszczowymi i powodują ich rozpuszczanie się w treści jelitowej.

Po spełnieniu swojego zadania w procesie trawienia są one na powrót wchłaniane z jelita i służą obok cholesterolu za podstawowy surowiec do ponownego wytwarzania kwasów żółciowych.

Barwniki żółciowe

Barwniki żółciowe powstają z degradacji czerwonego barwnika krwi – hemoglobiny. Ta część składowa czerwonych ciałek krwi uwalniana jest głównie wtedy, gdy stare komórki krwi pod koniec swego życia są niszczone w wątrobie i śledzionie. Ale czerwone ciałka krwi mogą ulegać rozkładowi także w każdym innym miejscu ciała i to niezależnie od ich wieku, np. w krwiakach podskórnych.

Werdoglobina

Biliwerdyna

Bilirubina

Hemoglobina, która dostaje się do wątroby, przetwarzana jest najpierw w substancję pośrednią *werdoglobinę*, od której odszczepiane jest białko i żelazo i powstaje *biliwerdyna*, która ostatecznie rozkładana jest przez enzymy do żółtobrązowoczerwonego barwnika – *bilirubiny*.

Także hemoglobina uwalniana w trakcie degradacji czerwonych ciałek krwi poza wątrobą jest przekształcana w bilirubinę, następnie wiąże się z białkami krwi i jest wraz z nimi transportowana do wątroby.

kwas glukuronowy

Większa część bilirubiny wiąże się w wątrobie z *kwasem glukuronowym*, który jest niezbędny w procesach odtruwających. Do żółci dodawana jest wolna bilirubina i wraz ze związkiem bilirubiny z kwasem glukuronowym dostaje się do dwunastnicy.

W jelicie enzymy na powrót rozkładają związek bilirubiny i kwasu glukuronowego. Bakterie jelitowe rozkładają bilirubinę etapami – poprzez mezobilirubinę i urobilinogen do *sterkobilinogenu*, z którego powstaje żółtobrązowa *sterkobilina*, wydalana z kałem i nadająca mu charakterystyczną barwę. Część sterkobilinogenu

Sterkobilinogen

Sterkobilina

przedostaje się z odbytnicy na powrót do organizmu, skąd kierowana jest do nerek i wydalana z moczem. Nie wszystkie barwniki żółciowe przebywają taką drogę. Część urobilinogenu jest wchłaniana z jelita cienkiego i z powrotem trafia do wątroby, część jest transportowana z żółcią do dwunastnicy, a niemal cała reszta zostaje przetworzona chemicznie w dipirol, który podlega jeszcze jednej przemianie w urofuscin i następnie wydalany jest z kałem. Tylko niewielka ilość dostaje się z krwią do nerek i wydalana jest z moczem.

Wprowadzając zgłębnik do dwunastnicy, można pobrać żółć do badania bezpośrednio w miejscu jej ujścia. Uzyskuje się przy tym następujące rodzaje (frakcje) żółci:

Dipirol

Urofuscin

Rodzaje żółci

- *Frakcja A* (żółć wątrobowa), która nie przedostaje się okrężną drogą przez pęcherzyk żółciowy, lecz bezpośrednio z wątroby. Jest zabarwiona na złocistożółtobrunatnawo.

- *Frakcja B* (żółć pęcherzykowa), która jest magazynowana i zagęszczana w pęcherzyku, i ze względu na zawartość biliwerdyny sprawia wrażenie zielonkawobrązowej.

- *Frakcja C* (żółć C), która po całkowitym wypróżnieniu pęcherzyka żółciowego znowu przedostaje się bezpośrednio z wątroby.

Funkcje pęcherzyka żółciowego i żółci

Drogi żółciowe przejmują w wątrobie żółć

Zadania pęcherzyka żółciowego jako magazynu żółci i jego funkcje w procesie trawienia w pewnym stopniu zostały już określone. Przedstawimy je teraz bardziej szczegółowo.

Pęcherzyk żółciowy jako narząd gromadzący

Układ przewodów żółciowych przejmuje wytworzoną w wątrobie żółć. Jeśli jest ona natychmiast potrzebna do trawienia lub jeśli pęcherzyk żółciowy jest całkowicie opróżniony, żółć dostaje się bezpośrednio do dwunastnicy, z pominięciem okrężnej drogi przez narząd gromadzący.

Żółć jest zagęszczana w pęcherzyku żółciowym

Ze względu na to, że komórki wątrobowe wytwarzają żółć ciągle i nie zawsze może być ona od razu zużyta, nadmiar żółci kierowany jest z wątroby układem przewodów do pęcherzyka żółciowego. Pęcherzyk jednak może pomieścić tylko ok. 50 ml żółci, więc nie byłby w stanie przejąć produkowanej w nadmiarze żółci i przechować do momentu, gdy znów będzie potrzebna. Staje się to możliwe jedynie dlatego, że żółć w pęcherzyku jest zagęszczana, a więc jej objętość maleje.

Żółć tłoczona jest przez fałd spiralny do przewodu pęcherzykowego

Skoro tylko bodziec wywołany przez pokarm w dwunastnicy spowoduje odpowiednie reakcje ustrojowe, włókna mięśniowe w ścianie pęcherzyka żółciowego kurczą się. Tłoczą one zgromadzoną tam, skoncentrowaną żółć przez fałd spiralny przy szyjce pęcherzyka żółciowego do przewodu pęcherzykowego i dalej do przewodu żółciowego wspólnego, z którego jest w końcu wydzielana do dwunastnicy.

Jednakowe ciśnienie w drogach żółciowych

Pęcherzyk żółciowy przekazując żółć, jednocześnie wyrównuje ciśnienie w drogach żółciowych. Wahania ciśnienia są szybko kompensowane niezbędną ilością żółci wyciskanej z pęcherzyka żółciowego.

Funkcje żółci w procesie trawienia

Tłuszcze, które przyjmujemy z pokarmem, są nierozpuszczalne w wodzie. Występują one w treści pokarmowej w postaci dużych kropli, ale nie można ich w tej formie spożytkować. Pełniąca funkcję emulgatora żółć sprawia, że krople te przemieniają się w rozpuszczalną w wodzie zawiesinę tłuszczową, składającą się z bardzo drobnych kropelek.

Funkcja emulgatora

Skoro tylko żółć spełni to zadanie, enzymy w jelicie są w stanie rozłożyć tak rozdrobnione kropelki tłuszczu na kwasy tłuszczowe i glicerynę. Dopiero te składniki tłuszczów pokarmowych mogą przedostać się przez ścianę jelita do organizmu.

Ponadto żółć konieczna jest do neutralizacji w dwunastnicy treści pokarmowej o wysokim stopniu kwasowości. Jest to ważny element procesu trawienia, ponieważ enzymy trawienne w jelicie są w stanie spełnić swe zadanie jedynie w środowisku alkalicznym.

Żółć neutralizuje kwaśną treść pokarmową w dwunastnicy

Żółć odgrywa znaczącą rolę także w wykorzystywaniu rozpuszczalnej w wodzie witaminy A. Występuje ona w pokarmie częściowo w postaci prekursorów (karotenów), które dopiero w błonie śluzowej jelita cienkiego zostają przekształcone w aktywną witaminę A. W tym procesie chemicznym nieodzowne są tłuszcze i sole kwasów żółciowych. Kwasy tłuszczowe przyczyniają się do tego, że witamina A jest wchłaniana przez organizm.

Znacząca rola w wykorzystaniu witaminy A

Poza funkcjami trawiennymi żółć jest wykorzystywana przez wątrobę w procesie usuwania substancji toksycznych.

Zadania w usuwaniu substancji toksycznych przez wątrobę

Tylko pewna ilość końcowych produktów przemiany materii i trucizn, wiążących się w celu detoksykacji z kwasem glukuronowym, kwasem siarkowym, glikolem i innymi substancjami, jest wydalana przez nerki. Pozostała część dostaje się wraz z żółcią do jelita i usuwana jest z ciała ze stolcem. W ten sposób układ żółciowy odciąża inne narządy wydzielnicze organizmu (nerki i skórę).

Wątroba – centralne laboratorium ciała

Wątroba jest najwiekszym gruczołem ciała

Wątroba ważąca 1,5 kg jest największym gruczołem ciała i odgrywa główną rolę w wielu różnorodnych przemianach chemicznych zachodzących w organizmie. Musi wykonać około 500 różnych zadań, z których wiele ma istotne znaczenie dla życia i nie może ich przejąć żadna inna tkanka.

Anatomia wątroby

Skomplikowana budowa narządu

Wątroba jest narządem, który magazynuje substancje pokarmowe i produkuje żółć. Ma bardzo skomplikowaną budowę, pozwalającą jej na skuteczne działanie. Postaramy się opisać tutaj położenie i budowę wątroby w uproszczonej, łatwej do zrozumienia formie.

Położenie wątroby w ciele

Znajduje się w prawym nadbrzuszu

Niemal cała wątroba znajduje się w prawym nadbrzuszu i jest przykryta żebrami. Górnymi powierzchniami przylega do wysklepiającej się ku górze przepony, oddzielającej od siebie jamę opłucnej i jamę brzuszną. Część tego gruczołu jest zrośnięta z przeponą i prawym nadnerczem. Pozostałą, niezrośniętą powierzchnię wątroby pokrywa delikatna błona, pozwalająca na ślizganie się wątroby bez tarcia po sąsiednich narządach, które również pokryte są taką błoną. Tylna część wątroby jest skierowana ku dołowi i ograniczona przez sąsiednie narządy: żołądek, dwunastnicę, jelito grube i prawą nerkę. Dolna powierzchnia wątroby jest wklęsła. System bruzd 4 płaty wątroby o różnej (przypomina on w przybliżeniu literę H) dzieli narząd na wielkości 4 płaty różnej wielkości: na większy prawy i mniejszy lewy, między nimi znajduje się płat czworoboczny (rzeczywiście prostokątny) oraz ogoniasty (z tyłu). Te dwa ostatnie zaliczane są często do płata prawego większego.

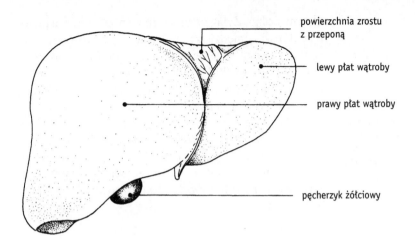

powierzchnia zrostu
z przeponą

lewy płat wątroby

prawy płat wątroby

pęcherzyk żółciowy

Wątroba (widok od przodu)

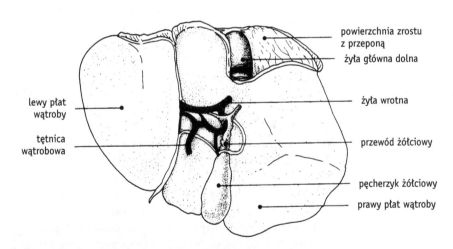

powierzchnia zrostu
z przeponą
żyła główna dolna

żyła wrotna

lewy płat
wątroby

tętnica
wątrobowa

przewód żółciowy

pęcherzyk żółciowy
prawy płat wątroby

Wątroba (widok od dołu)

Między płatami wątroby, dużym prawym i czworobocznym, osadzony jest w wątrobie na różnej głębokości pęcherzyk żółciowy. W głębokiej bruździe między płatem dużym prawym a ogoniastym wchodzi do wątroby żyła

Wejście żyły głównej
dolnej

19

gł018wna dolna. Żyła ta zbiera krew z nóg i obszaru miednicy. Obszar między płatami wątroby czworobocznym i ogoniastym określa się jako *wrota wątroby*. Składają się one z luźnej tkanki łącznej. Tutaj wchodzą do wątroby tętnica wątrobowa, żyła wrotna i nerwy, a wychodzą z niej naczynia limfatyczne oraz przewód żółciowy.

Żyła wrotna ma szczególne znaczenie w wykorzystaniu pokarmu. To duże naczynie krwionośne zbiera i przetwarza bogatą w składniki mineralne krew z żołądka, jelita, trzustki i śledziony. Między dopływami żyły wrotnej i żyły głównej dolnej istnieją zespolenia naczyniowe.

Budowa wątroby

Luźna tkanka łączna, z której zbudowane są wrota wątroby, wnika razem z naczyniami i nerwami głęboko do wnętrza narządu i rozgałęzia się w nim drzewiasto. Łącznotkankowe struktury we wnętrzu wątroby nazywa się niekiedy triadą wrotną. Zawierają one zawsze po jednej gałęzi tętnicy wątrobowej, żyły wrotnej i przewodu żółciowego. Pola te dzielą wątrobę na pojedyncze zraziki wątroby.

Wątroba składa się z wielu milionów hepatocytów. Zadaniem tych komórek, przez które stale przypływa duża ilość krwi pochodzącej z przewodu pokarmowego, jest regulacja jej składu. Hepatocyty więc pobierają niektóre substancje z krwi i wydzielają inne.

Hepatocyty mieszczą się w sześciokątnych kolumnach, zwanych zrazikami. Zraziki składają się z zatok żylnych, które są stale wypełnione krwią. Środkiem każdego zrazika biegnie żyła wątrobowa, a otaczają go wspomniane już zespoły, złożone z gałęzi żyły wrotnej, tętnicy wątrobowej i kanalika żółciowego.

W zrazikach znajdują się miejsca wypełnione krwią i nazywane zatokami żylnymi, które są wypełnione makrofagami, zwanymi komórkami gwiaździstymi Browicza-Kupffera. Ich zadaniem jest wyłapywanie z krwiobiegu rozpadających się czerwonych krwinek, bakterii, a także zużytych fragmentów komórek i ich

Wrota wątroby

Żyła wrotna ma szczególne znaczenie w wykorzystaniu pokarmu

Triada wrotna

Hepatocyty

Zraziki

Komórki gwiaździste Browicza-Kupffera

unieszkodliwienie. Poza tym wytwarzają one komórki immunologiczne, które z krwią i limfą krążą po całym ustroju.

Każda komórka wątrobowa z jednej strony ma styczność z przewodzikiem żółciowym włosowatym, a z drugiej strony z włośniczką. Przewodzik żółciowy włosowaty przejmuje wyprodukowaną przez komórkę żółć i kieruje ją do małych przewodzików żółciowych. Włośniczka doprowadza do komórki wątrobowej krew z tętnicy wątrobowej lub żyły wrotnej. Odpływ krwi z wątroby odbywa się wtedy innymi włośniczkami, które znajdują się bezpośrednio w tkance wątrobowej. Te drobne odprowadzające krew włośniczki łączą się w większe żyły, które ostatecznie uchodzą do żyły głównej dolnej.

Każda komórka wątrobowa ma styczność z 1 włośniczką i 1 przewodzikiem żółciowym włosowatym

Różnorodne zadania wątroby

Wątroba jest najbardziej wielostronnym narządem ludzkiego ciała. Ten „zakład chemiczny" wypełnia kilkaset różnych zadań, a więc bezpośrednio lub pośrednio bierze udział w większości procesów chemicznych zachodzących w organizmie. Ze względu na to, że nie można tu wymienić z osobna wszystkich zadań, podzielono je na 5 dużych grup, które pokrótce opiszemy.

Wątroba jest najbardziej wielostronnym narządem w ludzkim ciele

Ważne dla życia funkcje odtruwania

Wraz z krwią do wątroby stale są dostarczane składniki pokarmowe i produkty końcowe przemiany materii. Użyteczne dla organizmu substancje przekształcane są w nowe związki i częściowo ponownie zwracane do ustroju, a częściowo magazynowane w komórkach wątrobowych aż do momentu, gdy będą potrzebne. Pewnej niewielkiej ich ilości potrzebuje sama wątroba, by mogła pracować.

Natomiast substancje szkodliwe, które nie powinny się dostać do organizmu, muszą być unieszkodliwione przez wątrobę, zanim będą mogły zostać wydalone. Ten

Do wątroby docierają składniki pokarmowe i produkty końcowe przemiany materii

21

Odtruwanie

ważny dla życia proces określany jest jako *odtruwanie*. Polega on głównie na rozkładaniu lub przekształcaniu szkodliwych substancji w bezpieczne lub też łączeniu ich z innymi substancjami, razem z którymi są nietoksyczne.

Nie trzeba tu dokładniej omawiać tego procesu, w którym biorą udział enzymy, powodujące rozkładanie substancji trujących na związki nieszkodliwe. Warto jednak dodać, że trucizny w wątrobie łączą się w tym procesie z takim substancjami jak:

Kwas glukuronowy

• *Kwas glukuronowy*, wchodzi w związki z wieloma produktami przemiany materii i substancjami trującymi i w ten sposób doprowadza do ich detoksykacji. Nowe związki chemiczne wydalane są za pośrednictwem nerek w postaci soli (glukuronidów).

Glikokol

• *Glikokol*, najprostszy materiał budulcowy białek (aminokwas), działa odtruwająco w podobny sposób jak kwas glukuronowy.

Siarczany

• *Sole kwasu siarkowego* (siarczany), które są między innymi składnikami aminokwasów zawierających siarkę, jak cysteina, cystyna i metionina, także wiążą szkodliwe substancje, które następnie mogą być wydalone z moczem.

Gdyby nie funkcja odtruwająca wątroby skazani bylibyśmy na śmierć w przeciągu kilku dni z uwagi na liczne toksyczne produkty końcowe przemiany materii, które organizm sam ciągle produkuje. Ale gdyby wątroba nie pracowała, nie moglibyśmy przeżyć również ze względu na to, że wiele szkodliwych substancji do naszego organizmu dostaje się ze środowiska, w którym żyjemy.

Wątroba jako „fabryka narzędzi"

Poznaliśmy już jeden ze środków pomocniczych, które wątroba wytwarza na potrzeby organizmu, a mianowicie żółć. Jest ona nieodzownym „narzędziem" w trawieniu tłuszczów i wykorzystywaniu witaminy A.

Poza tym przekazuje pozostałości do jelita w celu ich wydalenia.

Wątroba produkuje ponadto różne *enzymy*, których potrzebuje do wykonywania swoich zadań. Tak więc, sama wytwarza swoje „narzędzia". Enzymy, wcześniej zwane *fermentami*, składają się głownie z białka. Wiele z nich ma jednak również część niebiałkową, w którą wchodzą małocząsteczkowe związki nieorganiczne, atomy metali, pochodne witamin jako koenzymy.

Wątroba produkuje różne enzymy

Zadanie enzymów polega w zasadzie na wpływaniu na procesy chemiczne w organizmie. Niektóre przyśpieszają takie procesy, które przy normalnej temperaturze ciała przebiegałyby za wolno. Inne czuwają nad tym, by procesy chemiczne zmierzały w pożądanym kierunku. Zatem enzymy są podobne do używanych w technice katalizatorów. Z tego powodu nazywa się je też *biokatalizatorami*.

Zadanie enzymów

Biokatalizatory

Życie w znanej nam formie nie jest możliwe bez enzymów. Każda tkanka, w zależności od zapotrzebowania, ma nieco inny zestaw enzymów.

Magazynująca funkcja wątroby

Wątroba jako narząd magazynujący służy przede wszystkim do gromadzenia krwi, która w danym momencie nie jest potrzebna w ustroju. Wątroba jest w stanie wchłonąć krew ważącą do 2/3 jej własnego ciężaru, a więc około 1 l, co odpowiada około 1/5–1/6 całkowitej objętości krwi w organizmie. Gdy tylko krew jest potrzebna (przede wszystkim podczas wysiłku fizycznego), wątroba szybko ją oddaje.

Wątroba gromadzi niepotrzebną w organizmie krew

Zadaniem wątroby jest też gromadzenie białka dostarczanego z pokarmem. Jednakże większa część substancji białkowych przekazywana jest od razu do organizmu w celu budowy komórek i tkanek. Niewielką część białka wątroba zachowuje jako rezerwę.

Poza tym wątroba gromadzi białko

W razie przejściowego zwiększenia zapotrzebowania na białko lub niedostatecznej podaży białka z pokarmem, rezerwa zmagazynowana w wątrobie może zapobiec stanom chwilowego ich braku. Zapasy w wątrobie nie wystarczają jednak na długo, bez odpowiednich dostaw z zewnątrz są szybko zużywane i pojawiają się objawy niedoboru.

Do nadmiernego gromadzenia białka w wątrobie dochodzi w glikogenozie. Wskutek tego z czasem następuje znaczne uszkodzenie wątroby. Dostarczanie zbyt dużych ilości białka z pokarmem (a więc bez chorobowego gromadzenia) nie prowadzi bezpośrednio do uszkodzenia wątroby, lecz ogólnie jest groźne dla zdrowia.

Magazynowane są także witaminy

Wątroba posiada wreszcie zdolność gromadzenia witamin dostarczonych z pokarmem i przechowywania do momentu, gdy organizm będzie ich potrzebować. Jednak magazynuje tylko niewielkie ilości witamin. Nie jest w stanie zgromadzić znacznych zapasów, np. zespołu witamin z grupy B czy witaminy C. W większych ilościach są magazynowane w wątrobie jedynie rozpuszczalne w tłuszczu witaminy A, D, E, F i K.

Przemiana prowitaminy witaminy A w witaminę A

Prowitaminy witaminy A są po części przekształcane w czynną witaminę A dopiero w wątrobie. Mogą być w niej przechowywane w dużych ilościach, co może grozić zatruciem witaminą A. Także prowitaminy witaminy D, po części magazynowane w wątrobie, w zbyt dużej dawce są trujące. Witaminę E z kolei wątroba nie tylko gromadzi, lecz także wykorzystuje do właściwego funkcjonowania.

W wątrobie przetwarzane są wysokonienasycone kwasy tłuszczowe

Określane dawniej mianem witaminy F wysokonienasycone kwasy tłuszczowe są zazwyczaj magazynowane w wątrobie w związku z fosforem i częściowo w niej samej przetwarzane. W wątrobie przechowywana jest także część witaminy K (witamina krzepnięcia krwi), która przyczynia się do produkcji substancji mających wpływ na krzepliwość krwi: fibrynogenu i protrombiny.

Magazynowanie energii w wątrobie

Węglowodany są najważniejszym źródłem energii dla organizmu. Po zakończeniu procesu trawienia dostają się z jelita poprzez żyłę wrotną do wątroby. Tutaj przetwarzane są w wysokoenergetyczny *glikogen* (skrobię wątrobową).

Zgodnie z potrzebami organizmu wątroba natychmiast uwalnia część glikogenu do ustroju. Glikogen jako dostawca energii znajduje się we krwi i w niemal wszystkich komórkach. To wydzielanie glikogenu sterowane jest między innymi przez hormon trzustki – insulinę. Pozostałą część glikogenu wątroba magazynuje w swych komórkach jako rezerwę węglowodanową. W razie potrzeby ten zasób energii może być szybko wykorzystany przez organizm (przede wszystkim do pracy mięśni).

Za pomocą enzymów glikogen może być przetwarzany w glukozę (cukier gronowy), która dostaje się wraz z krwią do mięśni i zużywana jest w trakcie ich pracy. Powstaje przy tym produkt końcowy przemiany materii – *kwas mlekowy*. W przypadku nadmiernego wysiłku gromadzi się on w tkance mięśniowej i często staje się przyczyną bólu powysiłkowego.

Kwas mlekowy wątroba wykorzystuje ponownie i wytwarza z niego, niezależnie od węglowodanów dostarczanych z pokarmem, nowe węglowodany, będące oczywiście, również nośnikami energii.

Glikogen

Kwas mlekowy – produkt końcowy przemiany materii

Dostawca budulca dla organizmu

Ostatnim z omawianych tu zadań wątroby jest dostarczanie materiałów, które są potrzebne do wytwarzania przez organizm własnych tkanek. Funkcja ta pokrywa się częściowo z funkcją gromadzenia zapasów i magazynowania energii. Należy podkreślić przede wszystkim to, że wątroba z przetrawionego białka pokarmowego produkuje podstawowy składnik do wytwarzania własnego białka organizmu, które jest stale potrzebne do wymiany starych komórek na nowe.

Wątroba odgrywa także rolę dostawcy w produkcji substancji uczestniczących w krzepnięciu krwi. Wytwarza i uwalnia do krwi *fibrynogen,* prekursor fibryny – włóknika niezbędnego w procesie krzepnięcia krwi. Ponadto pod wpływem witaminy K powstaje w wątrobie także

Wątroba dostarcza podstawowego składnika do wytwarzania tkanek własnego organizmu

Wytwarzanie fibrynogenu

Protrombina
Trombina

protrombina. Proenzym ten w razie potrzeby przemienia się w czynną *trombinę*, która przekształca fibrynogen w czynną fibrynę.

Nie jest konieczne zajmowanie się innymi funkcjami wątroby jako dostawcy budulca dla organizmu. Wątroba uczestniczy bezpośrednio lub pośrednio w zbyt wielu tego typu zadaniach, by można było je wszystkie tu wymienić.

Schorzenia wątroby coraz powszechniejsze

Narząd tak wielostronny i skomplikowany jak wątroba jest podatny na choroby, które ze względu na jego liczne zadania mogą mieć ogromny wpływ na cały organizm. Z drugiej strony wątroba, jak żaden inny narząd, jest w stanie w dużej mierze zregenerować się nawet po ciężkiej chorobie. Medycyna naturalna dysponuje sprawdzonymi metodami leczniczymi, które wspomagają ten proces regeneracji. Nie można ich jednak nigdy stosować w ramach samopomocy bez specjalistycznej kontroli przebiegu choroby, bo wątroba pełni zbyt ważne funkcje, by wolno było podjąć ryzyko niewłaściwego samoleczenia.

Wątroba może się zregenerować po ciężkich chorobach

Najczęstsze przyczyny schorzeń wątroby

Wyraźny wzrost zachorowalności na schorzenia wątroby w ostatnim czasie ma jednoznaczny związek z prowadzeniem niezdrowego trybu życia i złym odżywianiem się. Złe nawyki nie muszą natychmiast prowadzić do chorób wątroby, stwarzają jednak podstawy do tego, by inne czynniki doprowadziły ostatecznie do ostrych lub przewlekłych schorzeń. Tego typu skutkom należy zapobiegać już wcześniej, aby nie dopuścić do pojawienia się i rozwoju którejś z chorób wątroby. Wprawdzie nie można się przed nimi całkowicie zabezpieczyć, ale zazwyczaj można znacznie zredukować ryzyko ich wystąpienia.

Złe nawyki w sposobie życia i odżywiania się

Powszechne błędy żywieniowe

Typowe błędy
żywieniowe

Dieta charakterystyczna dla naszej cywilizacji stanowi obecnie jedną z najważniejszych przyczyn schorzeń wątroby. Typowe błędy można sprowadzić do następującego stwierdzenia:

> Za dużo kalorii, białka, tłuszczu i przetworzonych węglowodanów, a za mało pełnowartościowego pożywienia opartego na świeżych produktach spożywczych (głównie owocach i warzywach).

Wątroba ponosi z tego
tytułu znaczne szkody

Wskutek
nieprawidłowego
odżywiania się
zmniejszają się
zdolności obronne
organizmu

Skutki nieprawidłowego
odżywiania się

Taki sposób odżywiania się zagraża co prawda całemu organizmowi, nie tylko wątrobie, ale to właśnie wątroba oczyszczająca w znacznym stopniu pożywienie z substancji szkodliwych dla organizmu ponosi z tego tytułu znaczne szkody. Z czasem może stopniowo osłabić się jej funkcjonowanie, później może pojawić się stłuszczenie, a na koniec nawet marskość. Ponadto wskutek nieprawidłowego odżywiania się zmniejszają się zdolności obronne całego organizmu, a więc częściej występują zakażenia wątroby. Najważniejsze dla wątroby skutki nieprawidłowego odżywiania się to:

- Nadwaga z odkładaniem się tłuszczu także w wątrobie. Często towarzyszą jej zaburzenia krążenia, które mają szczególnie negatywny wpływ na wątrobę zmuszoną do dużego wysiłku.
- Przewlekły, lekki do umiarkowanego niedobór substancji witalnych, które są nieodzowne dla funkcjonowania wątroby.
- Skłonność do osłabienia perystaltyki jelit wskutek niedoboru substancji balastowych w pożywieniu, co prowadzi do ponownego wchłaniania do ustroju substancji trujących z jelita, a w ten sposób do przeciążenia wątroby czynnościami mającymi na celu odtrucie organizmu.
- Dodatki chemiczne w typowej diecie, które wątroba również musi pozbawić właściwości szkodliwych, co stanowi dla niej dodatkowe obciążenie.

28

• Zaburzenia produkcji i wydzielania żółci, szczególnie w przypadku zbyt tłustego pożywienia, co ma również negatywny wpływ na wątrobę.

Regularna profilaktyka chorób wątroby polega przede wszystkim na zasadniczej zmianie typowego, nieprawidłowego sposobu odżywiania się. Gdy narząd objęty już jest chorobą, aż do wyzdrowienia trzeba utrzymywać indywidualnie ustawioną dietę, a potem przejść na zdrowe pełnowartościowe odżywianie, aby nie doszło wkrótce do nawrotów.

Profilaktyka chorób wątroby: zasadnicza zmiana sposobu odżywiania się

Nadużywanie alkoholu i leków

Liczba osób z chorobą alkoholową, które nie mają kontroli nad piciem, wyraźnie wzrosła we wszystkich uprzemysłowionych państwach zachodnich, a co szczególnie niepokojące, zwłaszcza wśród kobiet, młodzieży, a nawet dzieci. Przyczyny tego zjawiska zazwyczaj związane są z problemami osobistymi lub społecznymi i nie da się ich tu przedstawić bardziej szczegółowo. Ze względu na to, że alkohol jest dla wątroby szczególnie silną trucizną, jego nadużywanie kończy się dla wielu alkoholików ogólnym wyniszczeniem organizmu spowodowanym marskością wątroby.

Alkohol dla wątroby jest szczególnie silną trucizną

Schorzenia wątroby są dużym zagrożeniem nie tylko dla osób uzależnionych od alkoholu. W naszym społeczeństwie wielu ludzi codziennie pije alkohol. Nie zawsze prowadzi to do uzależnienia, niekiedy staje się piciem nawykowym. Również w takim przypadku konsumpcja alkoholu, choć tylko umiarkowana, będzie z biegiem czasu zagrożeniem dla wątroby – osobom pijącym zawsze grozi marskość wątroby. Ze względu jednak na mniejsze ilości spożywanego alkoholu okres do wystąpienia choroby jest dłuższy niż u alkoholików.

Wątroba ulega uszkodzeniu także wskutek umiarkowanej konsumpcji alkoholu przez dłuższy czas

Według wyników badań naukowych nieuleczalne uszkodzenie wątroby występuje u mężczyzn już po 6-10 latach codziennego picia alkoholu w ilości większej niż 60 g czystego alkoholu (np. trochę więcej niż 1 litr

Nieuleczalne uszkodzenie wątroby

piwa). U kobiet ryzyko występuje już przy spożywaniu około 20–25 g czystego alkoholu dziennie; ich wątroby ze względu na skomplikowaną równowagę hormonalną mają i tak więcej pracy, a przy tym są bardziej wrażliwe na alkohol.

Jeśli weźmiemy pod uwagę, jak szybko wypija się wieczorem 2–3 butelki piwa, 0,5 litra wina lub 2–3 kieliszki wódki, to wyraźnie widać rozmiar tego problemu. Oczywiście, nie trzeba całkowicie rezygnować z napojów alkoholowych. Ich spożywanie ma w wielu kulturach długą tradycję i nie da się go tak po prostu zakazać. Wprawdzie umiarkowane picie dla przyjemności (najlepiej nie każdego dnia) jest także obciążeniem dla wątroby, jednakże zdrowa wątroba poradzi sobie z tym bez większych przeszkód. Należy natomiast zaprzestać ciągłej konsumpcji alkoholu w dużych ilościach, w przeciwnym razie nieuchronnie dojdzie do uszkodzenia wątroby.

Poza alkoholem coraz większe zagrożenie dla wątroby stanowi obecnie nadużywanie leków. Liczba osób uzależnionych, u których występuje duże ryzyko wystąpienia chorób wątroby wskutek stałego przyjmowania leków chemicznych, sięga już milionów. Ale nie tylko one narażają się na niebezpieczeństwo; nawet jeśli nie wynika to z nałogu, coraz więcej ludzi przyjmuje leki zbyt często, ryzykując tym przewlekłe uszkodzenie wątroby, które może zakończyć się marskością.

Do najczęściej nadużywanych należą środki przeciwbólowe, uspokajające, nasenne i na przeczyszczenie. Ponieważ leki z tych grup dostępne są bez recepty, przeważnie stosuje się je bez specjalistycznej kontroli, w innych przypadkach lekarze często przepisują leki na zbyt długi czas, pomimo że w kręgach medycznych znane jest związane z tym ryzyko.

Zasadniczo każdy lek chemiczny (ale też niektóre z roślin leczniczych) może stanowić niebezpieczeństwo dla wątroby. Z tego powodu leki takie wolno podawać tylko przez jak najkrótszy czas i nigdy w celu samoleczenia (dostępność bez recepty nie oznacza nieszkodliwości).

Pić z przyjemnością i umiarem!

Należy zaprzestać ciągłej konsumpcji alkoholu w dużych ilościach

Nadużywanie leków jest także zagrożeniem dla wątroby

Nadużywanie środków przeciwbólowych, uspokajających, nasennych i na przeczyszczenie

Każdy lek chemiczny jest zagrożeniem dla wątroby

Gdy tylko jest to możliwe, należy się przestawić na bezpieczne środki przyrodolecznicze, które nawet w razie dłuższego stosowania nie zagrażają wątrobie.

Jeśli nie jest to możliwe, dłuższemu przyjmowaniu budzących obawy leków muszą towarzyszyć działania osłaniające wątrobę i regularna kontrola, czy nie pojawiły się zmiany chorobowe tego narządu. W każdym przypadku należy dokładnie rozważyć ryzyko i stosować tylko takie leki, których potencjalne zagrożenie można zaakceptować.

Należy dokładnie rozważyć korzyści i ryzyko związane z danym lekiem

Trucizny dla wątroby ze środowiska

Wątrobie w coraz większym stopniu zagrażają dziś substancje szkodliwe ze środowiska. Częściowo wchłaniamy je z powietrzem i wodą, częściowo zawarte są w pokarmie. Ponieważ zanieczyszczenie środowiska stało się dzisiaj wszechobecne, nie ma już przed nim pewnej ochrony.

Wątroba musi zneutralizować różne trucizny pochodzące z otoczenia. Z wieloma nawet daje sobie początkowo radę, nie ulegając przy tym od razu uszkodzeniu. Pojedyncze ilości trucizn są często tak małe, że nie dochodzi do ostrego zatrucia.

Wątroba musi zneutralizować wiele trucizn ze środowiska

Problem z substancjami szkodliwymi ze środowiska polega głównie na ciągłym przyjmowaniu niewielkich ich ilości i mieszaniu się poszczególnych chemikaliów w „koktajl z trucizn", w którym tworzą się także nowe związki chemiczne, często będące znacznie silniejszą trucizną niż każda substancja chemiczna oddzielnie. Z czasem przekroczona zostaje zdolność odtruwania wątroby i jej komórki ulegają trwałemu uszkodzeniu.

Do największych trucizn ze środowiska należą *środki ochrony roślin*, które w razie nieodpowiedniego stosowania mogą pozostawać na owocach i warzywach. Można się jednak przed nimi zabezpieczyć, kupując produkty żywnościowe tylko z kontrolowanych upraw,

Pozostałości po nawozach i środkach do oprysków należą do największych trucizn ze środowiska gdzie nie stosuje się środków chemicznych, np. produkty z upraw biodynamicznych ze znakiem „Demeter" (w Niemczech). Nie można się natomiast ochronić przed wieloma truciznami, które emitowane są przede wszystkim z obiektów przemysłowych, instalacji grzewczych i samochodów, ponieważ przenoszą się z powietrzem i odkładają na i w produktach żywnościowych lub pobierane są przez rośliny ze skażoną wodą. Tych substancji szkodliwych nie można uniknąć, nawet stosując uprawę biologiczną.

Pozostałości leków weterynaryjnych w produktach mięsnych

Do tego dochodzą często jeszcze znajdujące się w wyrobach mięsnych *pozostałości leków weterynaryjnych* mięsnych, których dziś używa się obficie w masowej hodowli zwierząt w celu zapobiegania zarazie w ciasnych pomieszczeniach, w których przebywają. Niekiedy nadużywa się też leków jako nielegalnych środków pomocniczych w tuczu. Można znacznie obniżyć ryzyko spożycia tego typu trucizn, redukując spożycie wyrobów mięsnych i kupując produkty z kontrolowanych ferm, odpowiadających wymaganiom hodowli danego gatunku zwierząt.

Trucizny w mieszkaniach

Wreszcie, wątroba obciążona jest dziś w coraz większym stopniu *truciznami z mieszkań*. Chemikalia te ulatniają się z materiałów budowlanych, elementów wykończenia wnętrz i wyposażenia. Są wdychane, a częściowo także przyjmowane z pożywieniem składowanym w skażonych pomieszczeniach. Prowadzą do niejasnego obrazu klinicznego choroby z różnymi objawami, pod

Zespół chorego budynku

nazwą *zespół chorego budynku*. Jej następstwem może również być uszkodzenie wątroby wskutek ciągłego przyjmowania małych ilości trucizn. Bardzo trudno się przed tym zabezpieczyć, bo jest o wiele za mało mieszkań, które wybudowano bez środków chemicznych, zgodnie z zasadami nauki o całościowych związkach między istotami żywymi i ich zabudowanym środowiskiem. Ale jeśli przyczyną choroby są trucizny w mieszkaniu, można przynajmniej spróbować polepszyć sytuację, dokonując specjalistycznych przeróbek. Dotyczy to także miejsca pracy, gdzie pracownicy także narażeni są na działanie środków chemicznych.

Najważniejsze choroby wątroby

IDo najbardziej znanych chorób wątroby należą zapalenie, marskość i stłuszczenie, które zostaną tu bardzo szczegółowo przedstawione. Poza tym opiszemy jeszcze szereg innych, nie tak częstych schorzeń tego narządu. Nie można jednak tego opisu traktować jak instrukcję samodzielnego stawiania diagnozy, a tym bardziej samoleczenia. Wywody te powinny raczej pomóc we wczesnym rozpoznaniu choroby wątroby, ustaleniu czynników, które ją wywołały i właściwym przestrzeganiu zaleceń lekarza. Lepsze zrozumienie mechanizmów powstawania schorzeń wątroby pozwala na zapobieżenie im poprzez odpowiednio wczesną eliminację ryzyka, jeśli tylko jest to możliwe.

Powinno się wcześnie rozpoznać chorobę wątroby

Ogólne zaburzenia funkcji wątroby

Choroby wątroby mają początkowo często niejasny przebieg i objawiają się zaburzeniami ogólnymi, lekceważonymi przez wielu pacjentów. Szczególnie ważnymi objawami są osłabienie czynności wątroby, obrzmienie tego narządu i jego przekrwienie. Przyczyny tych wieloznacznych objawów muszą być szybko ustalone przez specjalistę, aby niepotrzebnie nie opóźniać leczenia ewentualnej choroby wątroby.

Choroby wątroby mają początkowo często niejasny przebieg

Osłabienie czynności wątroby

Osłabienie czynności wątroby (niewydolność wątroby) może mieć przebieg lekki lub zagrażający życiu, może dotyczyć tylko pojedynczych lub prawie wszystkich czynności tego narządu. Stosownie do tego również obraz kliniczny choroby jest wieloraki. Najważniejsze oznaki tej choroby to zazwyczaj niejasne uczucie osłabienia ogólnego, znużenie i obniżona sprawność, w części przypadków także nienormalna ospałość i zaburzenia koncentracji. Ten stan pogarsza, nawet tylko lekki, wysiłek fizyczny.

Objawy choroby

> Jeśli nie można znaleźć żadnych innych przyczyn takich objawów, trzeba zawsze brać pod uwagę niewydolność wątroby i szybko poddać się specjalistycznym badaniom, bo może dojść do całkowitego zaprzestania funkcjonowania wątroby i śpiączki wątrobowej.

Inne objawy ostrzegawcze

Inne objawy ostrzegawcze wskazujące na osłabienie czynności wątroby dotyczą przeważnie narządów trawiennych. Podejrzenia powinny wzbudzić przede wszystkim uczucie pełności, brak apetytu, nudności, wzdęcia, nieregularne oddawanie stolca i nietolerowanie określonych potraw (przede wszystkim tłuszczu). Nierzadko odraza do jedzenia i nadmierny apetyt występują naprzemiennie, co w zasadzie trzeba traktować jako typowy objaw schorzenia wątroby.

Przyczyny niewydolności wątroby

Przyczyny niewydolności wątroby są także różnorodne. Lżejsze osłabienie czynności towarzyszy często zaburzeniom przemiany materii, będącym skutkiem nieprawidłowego odżywiania się i niedostatecznej aktywności fizycznej. Osłabienie czynności o większym nasileniu powstaje w przypadku zapalenia tego narządu, nadużywania alkoholu lub leków, zatruć, zastoju żółci, występowania przewlekłych ognisk chorobowych poza wątrobą (działanie zdalne), niedotlenienia spowodowanego schorzeniami serca lub płuc, zaburzeń hormonalnych (często nadczynność tarczycy), cukrzycy oraz zaburzeń przemiany materii z nienormalnym gromadzeniem się np. żelaza, tłuszczów i glikogenu wątrobowego.

Ponadto do niewydolności wątroby prowadzi oczywiście marskość wątroby, rak wątroby i inne schorzenia tego organu. Ostre osłabienie czynności wątroby z szybkim zaprzestaniem jej pracy następuje zazwyczaj w przypadku gwałtownie postępującej marskości wątroby wskutek zagrażającego życiu zatrucia.

Pewna diagnoza jest zadaniem lekarza

Wiarygodne rozpoznanie przyczyn niewydolności wątroby jest zadaniem lekarza. Leczenie odbywa się zgodnie z jego orzeczeniem. Dopiero gdy w wyniku leczenia usunięte zostaną źródła niewydolności, wątroba może się zregenerować. Pełne wyzdrowienie nie zawsze jest jednak możliwe – na przykład prawie zupełnie nieuleczalna jest marskość wątroby. W takim przypadku celem terapii jest próba poprawy funkcjonowania tego organu i powstrzymanie rozwoju choroby.

Nie trzeba tu szczegółowo opisywać sposobu leczenia osłabienia czynności wątroby, ponieważ musi ono być zalecone indywidualnie dla każdego przypadku. Zasadnicze leczenie polega z reguły na diecie wątrobowej, służącej odciążeniu tego narządu; najlepiej sprawdza się zazwyczaj ścisła dieta wegetariańska zgodna z zasadami reformatora w zakresie żywienia dr. Birchera-Bennera (stosując ją, sam się wyleczył z ciężkiej choroby wątroby). W skład tej diety mogą wchodzić tylko takie artykuły żywnościowe, które prawie nie zawierają pozostałości chemicznych i dodatków, żeby niepotrzebnie nie obciążać nimi wątroby. Surowo zakazany jest alkohol, leki można zażywać tylko z przepisu lekarza, jeśli ze względu na jakąś inną chorobę organizmu niemożliwa jest rezygnacja z leków chemicznych.

Do pobudzenia czynności wątroby szczególnie nadają się różne, indywidualnie dobrane środki homeopatyczne. Z roślin leczniczych najbardziej skuteczny okazał się *ostropest plamisty*. Próby wykazały, że często był bardzo skuteczny nawet przy ciężkich uszkodzeniach wątroby spowodowanych trucizną.

Poza tym ważny jest zdrowy tryb życia z wystarczającym, ale nie przesadzonym, zależnym od możliwości organizmu wysiłkiem fizycznym, z dostateczną ilością wypoczynku, relaksu i snu. W większości przypadków błędem byłaby całkowita rezygnacja z wysiłku ze względu na słabość fizyczną, bo to pogorszyłoby ukrwienie wątroby. W przypadku silniejszej niewydolności trzeba początkowo przebywać w łóżku aż do polepszenia się stanu zdrowia. W ciężkich przypadkach ze względu na zagrożenie dla życia pacjent musi być skierowany do szpitala.

Obrzmienie i przekrwienie wątroby

Zdrowa wątroba jest miękka i prawie nie można jej wyczuć palcami przez powłoki brzuszne. Z obrzmieniem lub przekrwieniem biernym wątroby mamy zazwyczaj do czynienia, gdy pod prawym łukiem żebrowym wyczuwa się wyraźnie powiększony narząd, mający gładką i twardą powierzchnię. Tym stanom chorobowym często towarzyszą bóle pod prawym łukiem żebrowym. Mogą one występować zawsze lub pojawiać się tylko pod wpływem ucisku z zewnątrz na wątrobę. Rzeczywistą przyczynę tych objawów może jednak dokładnie ocenić tylko lekarz.

Bóle pod prawym łukiem żebrowym

Powstawanie

O pasywnym obrzmieniu i powiększeniu wątroby możemy mówić, gdy dochodzi do zastoju krwi, o aktywnym – gdy przekrwienie następuje przede wszystkim wskutek stanów zapalnych wątroby. Z przewlekłego przekrwienia może rozwinąć się marskość wątroby, czyli zanik komórek wątrobowych i pojawianie się na ich miejscu tkanki bliznowatej.

Przyczyny obrzmienia i przekrwienia

Przyczyny obrzmienia i przekrwienia można z całą pewnością określić jedynie po gruntownym przebadaniu pacjenta. Częstą przyczyną jest przewlekłe zapalenie wątroby, stłuszczenie wątroby, rak lub złogi np. żelaza, tłuszczów lub skrobi wątrobowej. Jeśli obrzmiałe są też śledziona i węzły chłonne, może wskazywać to na raka układu limfatycznego.

Stawiając diagnozę, trzeba też wziąć pod uwagę choroby krwi, zakrzepicę w naczyniach krwionośnych wątroby i osłabienie serca z zastojem krwi (nie tylko w wątrobie).

Sercowa marskość wątroby

Z powstałej na skutek osłabienia serca wątroby zastoinowej rozwija się niekiedy sercowa marskość wątroby, ale prawdopodobnie jest to uwarunkowane dodatkowym uszkodzeniem wątroby.

Leczenie

Leczenie obrzmienia i przekrwienia wątroby ukierunkowane jest na chorobę będącą ich przyczyną. Musi być ona wyleczona, żeby stan wątroby mógł wrócić do normy. W części przypadków konieczne jest leczenie szpitalne. Jeśli nie można leczeniem całkowicie usunąć przyczyn schorzenia, trzeba przynajmniej dążyć do uzyskania poprawy. Równocześnie próbuje się wtedy chronić wątrobę przed dalszymi uszkodzeniami i zachować jej sprawność czynnościową tak dalece, jak to możliwe, stosując naturalne środki lecznicze. Do tego celu nadają się środki lecznicze wymienione w tekście dotyczącym osłabienia czynności wątroby.

Zakażenie pasożytnicze wątroby

Ostatnio częściej przestrzega się przed spożywaniem dziko rosnących jagód leśnych. Może na nich znajdować się bąblowiec, który wywołuje *bąblowicę wątroby*. Wprawdzie po spożyciu jagód z tasiemcami choroba wątroby nie musi się koniecznie rozwinąć, ponieważ mogą zadziałać reakcje obronne organizmu, ale ryzyko jest dość duże.

Bąblowica wątroby

> Z tego powodu gorąco odradzamy spożywanie jagód leśnych; nie można gołym okiem dojrzeć, czy są one zakażone tasiemcem, czy nie.

Jeśli na podstawie osłabienia czynności i powiększenia wątroby bąblowica zostanie rozpoznana stosunkowo wcześnie, może pomóc jeszcze leczenie chirurgiczne, polegające na usunięciu zakażonej części organu. W zaawansowanych stadiach nie jest dziś jeszcze możliwa żadna skuteczna terapia i po długim okresie ogólnego wyniszczenia następuje śmierć chorego.

Leczenie

Niebezpieczeństwo przenoszenia choroby przez psy domowe, którym ten pasożyt poważnie nie zagraża, ocenia się jako względnie niskie. Pomimo to właściciele psów powinni regularnie badać u weterynarza kał psa i w razie potrzeby przeprowadzać odrobaczanie, aby wyeliminować wszelkie ryzyko.

Niebezpieczeństwo przeniesienia bąblowicy przez psa jest niewielkie

Poza bąblowcem może dojść do zakażenia wątroby różnymi przywrami, co prowadzi do *dystomiazy wątrobowej* (przywrzycy wątrobowej). Pasożyty te przenoszone są często wraz z roślinnymi produktami spożywczymi, do których przywierają larwy przywry, rzadziej z surowymi rybami. Objawami ostrzegawczymi wskazującym na dystomiazę wątrobową są głównie żółtaczka, krwawe

Dystomiaza wątrobowa

Objawy ostrzegawcze

biegunki, wodobrzusze, zawroty głowy, ból głowy i nie-dokrwistość.

Jeśli leczenia tej choroby nie rozpocznie się odpowiednio wcześnie, mogą nastąpić rozległe zniszczenia i stwardnienie tkanki wątrobowej, a w ciężkich przypadkach szybkie wychudzenie, znaczne osłabienie i ostatecznie śmierć. Mówi się, że przy zakażeniu przywrą wątrobową niekiedy dochodzi do raka wątroby, ale nie jest to pewne.

W razie najmniejszego podejrzenia zainfekowania przywrą wątrobową trzeba poddać się badaniom lekarskim. Istnieje możliwość zatrucia przywr silnymi lekami, których znaczne działania uboczne trzeba zaakceptować. Wskazane może też być chirurgiczne usunięcie zakażonych części wątroby. Następnie, stosując ostropest plamisty i leki homeopatyczne zgodnie z indywidualnymi zaleceniami lekarskimi, należy zadbać o to, by funkcjonowanie wątroby możliwie szybko wróciło do normy.

W razie najmniejszego podejrzenia przywry wątrobowej trzeba poddać się badaniom lekarskim

Ropień wątroby

Ropniem określa się ograniczone nagromadzenie ropy w ciele, które powstaje wskutek zakażenia bakteryjnymi zarazkami ropotwórczymi. W wątrobie ropnie występują rzadko, ale zawsze powodują ciężką chorobę.

Objawami ostrzegawczymi są zazwyczaj silne bóle pod prawym łukiem żebrowym, wrażliwa na ucisk, często wyraźnie powiększona wątroba; dreszcze i gorączka, która w ciągu dnia może występować naprzemiennie z okresami bez gorączki; nudności, pobudzenie do wymiotów, wymioty, niekiedy też powiększona śledziona (pod lewym łukiem żebrowym). Badanie powłok brzusznych może wywoływać reakcję obronną w postaci naprężania i twardnienia. Niektóre ropnie wątroby wywołują też podrażnienie opłucnej żebrowej z kaszlem i kłuciem w boku. W ciężkich przypadkach pacjenci sprawiają wrażenie słabych. Jest to stan zagrażający życiu.

Objawy ostrzegawcze

Ropnie wątroby rozwijają się, gdy bakterie przedostaną się do organu. Często dochodzi do tego w ropnych zapaleniach pęcherzyka żółciowego i/lub dróg żółciowych jako powikłania ciężkiego zakażenia jelitowego, w czerwonce lub zapaleniu wyrostka robaczkowego, posocznicy (sepsis) z rozsiewem zarazków ropotwórczych także do wątroby oraz przy uszkodzeniu wątroby z zakażeniem.

Powstawanie

Ta ciężka choroba musi być natychmiast leczona w szpitalu. Niekiedy wskazane są wysokie dawki antybiotyków przeciw bakteriom, z reguły jednak ropień otwiera się chirurgicznie i usuwa ropę. Wprawdzie skuteczne mogłyby być także naturalne metody lecznicze, ale ryzyko w przypadku ropnia wątroby jest zbyt wysokie, by można było je podjąć.

Ta choroba musi być natychmiast leczona w szpitalu

Leczenie ropnia powinno być uzupełnione ukierunkowanym leczeniem jego przyczyn, np. zakażenia dróg żółciowych lub jelit. Również i w tym przypadku często nieuniknione jest zastosowanie środków chirurgicznych i/lub antybiotyków.

Zawał wątroby

Tak samo jak bardziej znany i znacznie częstszy zawał serca, także zawał wątroby powstaje na skutek zamknięcia jakiegoś naczynia krwionośnego. Często dochodzi do tego w wyniku zwapnienia tętnic, które może też dotyczyć układu naczyniowego wątroby. Zablokowanie naczynia skutkuje tym, że zaopatrywana przez nie tkanka wątrobowa nie otrzymuje krwi i ginie.

Powstawanie

W zależności od tego, o które naczynie wątrobowe chodzi, mogą obumrzeć albo tylko małe, albo rozległe obszary tkanki wątrobowej.

Zasadniczo rozróżnia się następujące dwie postacie zawału wątroby:

- *zawał wątroby blady*, w przypadku którego zamknięciu ulega jedno z odgałęzień tętnicy wątrobowej, przez co obumiera klinowaty obszar komórek wątrobowych, swym spiczastym wierzchołkiem zawsze wskazujący na miejsce zamknięcia naczynia krwionośnego,

Zawał wątroby blady

- *zawał wątroby krwotoczny* w przypadku zamknięcia jednego z odgałęzień żyły wrotnej, przy czym krew z tego naczynia wylewa się do tkanki wątrobowej.

Niejasne objawy pozwalające podejrzewać zawał wątroby to zazwyczaj silne bóle brzucha, w części przypadków połączone z kolką narządów brzusznych. Te objawy ogólne mogą jednak wskazywać na różne inne choroby w jamie brzusznej. Prawdziwe przyczyny można określić tylko na podstawie gruntownych badań w szpitalu, gdzie w razie zawału wątroby musi być prowadzone leczenie.

Dzięki wczesnemu leczeniu może jeszcze się udać odblokowanie zamkniętego naczynia. Często jednak

część obszaru tkanki wątrobowej obumiera, co może prowadzić do przewlekłego osłabienia czynności wątroby. Rokowanie zależy przede wszystkim od rozległości obszaru zniszczonej tkanki.

Zwyrodnienie tłuszczowe komórek wątrobowych

Ta choroba, nazywana też *stłuszczeniem,* ostatnio występuje coraz częściej. Można ją już niemalże określić mianem epidemii cywilizacyjnej, ponieważ w wielu przypadkach istnieje jej jednoznaczny związek z powszechnymi błędami w żywieniu i sposobie życia współczesnego człowieka. Wprawdzie także całkowicie zdrowa wątroba magazynuje w swoich komórkach nieco tłuszczu jako rezerwę, ale przeciętnie stanowi on tylko 3–5% jej całkowitego ciężaru. W przypadku stłuszczenia wątroba zawiera nawet ponad 10 razy więcej tłuszczu. Podjęta

Zmiany chorobowe
mogą ustąpić pod
wpływem podjętego
w odpowiednim czasie
leczenia.

w odpowiednim czasie terapia może doprowadzić do całkowitego cofnięcia się zmian chorobowych, ale gdy już raz dojdzie do marskości wątroby, nie da się już uleczyć tego uszkodzenia.

Przyczyny stłuszczenia wątroby

Przykładem na to, jak ekstremalnie nieprawidłowym żywieniem można sprowokować zwyrodnienie tłuszczowe wątroby, jest tuczenie gęsi w celu produkcji pasztetu z gęsich wątróbek, będące przykładem znęcania się nad zwierzętami. Oczywiście, nie chodzi o porównywanie z tym stłuszczenia wątroby u człowieka. Obrazuje to tylko, jak nieprawidłowe odżywianie może w stosunkowo krótkim czasie doprowadzić do trwałego uszkodzenia wątroby.

Już samo pojęcie *stłuszczenie wąt*roby pozwala przypuszczać, że chorobę tę wywołuje zbyt obfite dostarczanie tłuszczu pokarmowego. Jednak to, że spożywanie tłuszczu powoduje stłuszczenie wątroby, jest tylko częściowo zgodne z prawdą. Zwykle pewną rolę odgrywają też węglowodany, które organizm może przekształcić w tłuszcz.

Spożywanie tłuszczu jest tylko częściowo odpowiedzialne za stłuszczenie wątroby

> Zasadniczo można stwierdzić, że każda forma zbyt obfitego odżywiania się prowadząca do nadwagi sprzyja też stłuszczeniu wątroby.

Tego typu błędy żywieniowe są jednakże zazwyczaj tylko przyczyną nadmiernego odkładania się tłuszczu w wątrobie. Dodatkowe uszkodzenie wątroby spowodowane jest w wielu przypadkach nadmiernym spożyciem alkoholu. Specjaliści szacują, że nadużywanie alkoholu (co nie koniecznie oznacza uzależnienie) ma wpływ na ok. 90% wszystkich przypadków stłuszczenia wątroby. Nadmierne picie może sprzyjać zwyrodnieniu tłuszczowemu wątroby niezależnie od nieprawidłowego odżywiania, ale równoczesne błędy żywieniowe zwiększają w naturalny sposób prawdopodobieństwo pojawienia się tej choroby.

Nadużywanie alkoholu odgrywa rolę w ok. 90% wszystkich przypadków stłuszczenia wątroby

Innym ważnym czynnikiem ryzyka jest cukrzyca. Dotyczy to w pierwszym rzędzie osób starszych chorych na cukrzycę, które nie przestrzegają konsekwentnie diety i cierpią na nadwagę. Jeśli dojdzie do tego jeszcze obfita

Cukrzyca jako kolejny czynnik ryzyka

konsumpcja alkoholu, stłuszczenie wątroby jest prawie pewne. Natomiast u młodszych diabetyków stłuszczenie wątroby występuje znacznie rzadziej, pomimo że także u tych pacjentów ryzyko jest ponadprzeciętnie wysokie. Cukrzycowe zaburzenia przemiany materii zawsze oznaczają obciążenie dla wątroby, która wskutek tego staje się bardziej podatna na inne szkodliwe czynniki.

Abstrahując od takich, uwarunkowanych cywilizacyjnie podstawowych przyczyn, stłuszczenie wątroby może rozwinąć się w wyniku wielu innych chorób. Chodzi tu przede wszystkim o kilka innych schorzeń wątroby, a szczególnie o przewlekłe zapalenie wątroby. Także przewlekłe lżejsze zatrucia, będące np. skutkiem nadużywania leków lub wpływu szkodliwych substancji ze środowiska, sprzyjają stłuszczeniu wątroby. Wreszcie wchodzą jeszcze w rachubę ciężkie choroby zakaźne (jak gruźlica), posocznica, przewlekłe ogniska chorobowe w organizmie oraz niedokrwistość z niedostatecznym zaopatrzeniem wątroby w tlen.

Zwyrodnienie tłuszczowe wątroby może rozwinąć się w przebiegu wielu chorób

Do nagłego i szybkiego wzrostu zawartości tłuszczu w wątrobie może dojść w ciężkich chorobach zakaźnych i zatruciach, które prowadzą do ostrej marskości wątroby. Wtedy na skutek nacieczeń tłuszczowych pękają komórki wątrobowe. Jest to stan zagrażający życiu.

Stadia i objawy stłuszczenia wątroby

Przewlekłe stłuszczenie wątroby ma podstępny przebieg

Typowe przewlekłe stłuszczenie wątroby ma podstępny przebieg i przez długi czas wywołuje tylko umiarkowane objawy. Wiele dotkniętych nim osób nie zwraca na nie uwagi i nie podejmuje we właściwym czasie leczenia. Lekarz w przypadku niejasnych, lekkich symptomów też nie zawsze od razu podejrzewa zwyrodnienie tłuszczowe wątroby. Niecharakterystyczne dolegliwości szczególnie w nadbrzuszu mogą być równie dobrze związane z innymi chorobami.

W razie wystąpienia poniższych objawów chorobowych podejrzenie stłuszczenia wątroby jest uzasadnione i trzeba je szybko zweryfikować, stosując specjalistyczną diagnostykę wątroby:

Nieprzyjemne uczucie ucisku, pełności i napięcia w nadbrzuszu, przede wszystkim po prawej stronie, brak apetytu i niewyjaśnione ograniczenie normalnej wydolności organizmu.

Objawy te są wprawdzie wieloznaczne i mogą wskazywać na wiele innych chorób, ale nawet gdy są lekkie i nie występują stale, powinny stać się pobudką do rychłego poddania się badaniom.

W przebiegu stłuszczenia wątroby wyróżnia się zasadniczo 3 następujące stadia:

- *Stadium I* z częściowym otłuszczeniem komórek wątrobowych. Ewentualne objawy ostrzegawcze to pojawiające się i nawracające uczucie ucisku i pełności w nadbrzuszu, skłonność do wzdęć i do odbijania się.

    Stadium I

- *Stadium II*, w którym dodatkowo następuje zapalenie otłuszczonych komórek wątrobowych. Poza objawami z I okresu pojawia się jeszcze ogólne osłabienie i znużenie z rozdrażnieniem, nerwowością, a często z zaburzeniami snu. Pod prawym łukiem żebrowym można wyczuć dotykiem twardą lub sprężystą wątrobę.

    Stadium II

- *Stadium III*, w którym rozwija się stłuszczeniowa marskość wątroby. Wątroba jest początkowo obrzękła, twarda i wyczuwa się ją dotykiem jako garb, później zaczyna się marszczyć i występują typowe objawy przewlekle postępującej marskości – przede wszystkim znaczne osłabienie, brak apetytu, wzdęcia, żylaki jamy brzusznej i przełyku oraz wodobrzusze.

    Stadium III

Zanim z rozpoczynającego się stłuszczenia wątroby rozwinie się tłuszczowa marskość wątroby, mija kilka lat, a więc jest dość czasu, by wdrożyć skuteczne leczenie, które może w I i II stadium doprowadzić do całkowitego wyleczenia. Gdy wystąpi już marskość wątroby, wyzdrowienie jest prawie niemożliwe, można jedynie powstrzymać chorobę i spowodować polepszenie się stanu pacjenta. Po długim okresie ogólnego wyniszczenia stadium III kończy się śmiercią.

Kilka lat do nieuleczalnej marskości

Nie musi dojść do tego, jeśli zwróci się uwagę na lekkie, początkowe objawy przewlekłego stłuszczenia wątroby i jeśli skłonią one do tego, by konsekwentnie unikać ryzykownych zachowań w odżywianiu się i trybie życia.

Ostre stłuszczenie wątroby może szybko zakończyć się śmiercią

Szczególnie niebezpieczne jest, co prawda rzadko występujące, opisane już ostre stłuszczenie wątroby. Stan ten może doprowadzić do śmierci w ciągu kilku dni, szczególnie w przypadku ciężkich zatruć (np. po zjedzeniu muchomora sromotnikowego). Niekiedy jednak nawet w takich przypadkach możliwe jest wyleczenie.

Poza podtrzymującą przy życiu intensywną terapią w szpitalu, w ostrym stłuszczeniu wątroby skuteczna okazała się roślina lecznicza zwana ostropestem plamistym. Obecnie jest ona coraz częściej stosowana także w medycynie akademickiej, ponieważ jej pozytywne działanie zostało udowodnione naukowo.

Zapobieganie i leczenie

To, że przyczyną 90% przypadków chorób związanych ze zwyrodnieniem tłuszczowym wątroby jest długotrwałe nadużywanie alkoholu, wskazuje najważniejszą drogę profilaktyki:

Umiarkowane spożywanie alkoholu, okazjonalne, w ilościach nie większych niż 0,5 l piwa lub 0,25 l wina i całkowita rezygnacja z napojów alkoholowych wysokoprocentowych (jak koniak, wódka). W innych schorzeniach wątroby i w cukrzycy należy zupełnie zaprzestać spożywania alkoholu, ponieważ wtedy wątroba reaguje na niego ze szczególną wrażliwością.

Ze względu na to, że obfita i regularna konsumpcja alkoholu jest dziś bardzo powszechna, ograniczenie to należy z pewnością do najważniejszych i najskuteczniejszych środków zapobiegających stłuszczeniu wątroby.

Innym nieodzownym środkiem profilaktycznym jest spożywanie zdrowego, pełnowartościowego pokarmu, który dobierany jest zgodnie z podstawowymi regułami reformatora w zakresie żywienia dr. Birchera-Bennera. Wraz z pożywieniem nie należy dostarczać organizmowi więcej kalorii niż rzeczywiście potrzebuje. Trzeba ograniczyć powszechnie występujące nadmierne spożycie tłuszczów i przetworzonych węglowodanów (jak cukier, słodycze, biała mąka), które są przekształcane w organizmie w tłuszcz i magazynowane w wątrobie.

Pełnowartościowe pożywienie jest nieodzownym środkiem profilaktycznym

Najlepiej sprawdza się pełnowartościowa dieta wegetariańska zawierająca 30–50% surowych produktów żywnościowych, która w dużej mierze wyklucza możliwość zbyt obfitego odżywiania się i dostarcza wątrobie dostatecznie dużo substancji witalnych, potrzebnych do jej funkcjonowania. Niekoniecznie jednak trzeba całkowicie zrezygnować z pożywienia pochodzenia zwierzęcego. Co 2–3 dni można spożywać wyroby mięsne w umiarkowanych ilościach.

30–50% surowych produktów żywnościowych

Zdrowe odżywianie optymalnie sprzyja czynnościom wątroby i w dużej mierze wyklucza możliwość stłuszczenia wątroby, o ile nie nadużywa się alkoholu.

Zdrowe odżywianie optymalnie sprzyja czynnościom wątroby

Chorzy na cukrzycę mogą w dość skuteczny sposób zapobiec stłuszczeniu wątroby, ściśle przestrzegając indywidualnie zaleconej diety, co w połączeniu z odpowiednią aktywnością fizyczną stanowi środek zapobiegający nadwadze lub łagodnie ją normalizujący. W ten sposób zaburzona przemiana cukrów pozostanie pod kontrolą i prawie niemożliwe będzie powstanie uszkodzeń wątroby.

Osoby chore na cukrzycę muszą ściśle przestrzegać diety

Nieodzowne w profilaktyce jest wreszcie świadome i ostrożne obchodzenie się z lekami chemicznymi, aby nie sprowokować żadnego uszkadzającego wątrobę przewlekłego zatrucia. Przede wszystkim powinno się zrezygnować z zażywania leków chemicznych na własną rękę.

Świadome obchodzenie się z lekami chemicznymi

Jeśli działanie nieszkodliwych naturalnych środków leczniczych w jakiejś chorobie nie jest wystarczające, w takim przypadku trzeba poddać się specjalistycznemu leczeniu. Leki chemiczne należy przy tym zażywać zgodnie z zaleceniami lekarza tak długo jak to konieczne, ale tak krótko, jak to możliwe.

Uporczywe choroby, które wymagają długotrwałej terapii, leczy się, stosując w miarę możliwości tylko nieszkodliwe dla wątroby naturalne metody lecznicze, zgodnie z zaleceniami specjalisty, bo im dłużej stosuje się leki chemiczne, tym bardziej wzrasta ryzyko chorób wątroby.

Dzięki tym profilaktycznym środkom można zapobiec większości chorób wiążących się ze stłuszczeniem wątroby. Oczywiście, nie stanowią one całkowicie pewnej ochrony, ponieważ nawet w wypadku najzdrowszego sposobu odżywiania i trybu życia nigdy nie można całkowicie wykluczyć pojawienia się innych chorób, mogących spowodować stłuszczenie wątroby. Ale organizm, który dzięki zdrowemu stylowi życia jest stale pielęgnowany, potrafi szybciej przezwyciężyć takie choroby i zregenerować wątrobę.

Jeśli nastąpi już stłuszczenie wątroby, terapia musi być zalecona przez specjalistę. Wprawdzie pacjent powinien współdziałać w leczeniu, ale tylko w zakresie uzgodnionym z lekarzem. Jeśli do stłuszczenia wątroby doprowadziły inne choroby, muszą zostać wyleczone, zanim możliwe będzie także wykurowanie uszkodzonej wątroby. Przedstawienie sposobów leczenia wszystkich możliwych chorób będących przyczyną stłuszczenia wykraczałoby poza ramy tej książki.

Niezależnie od różnych przyczyn leczenie zasadnicze w medycynie naturalnej składa się zawsze z następujących środków:

• Radykalna rezygnacja z napojów alkoholowych w każdej postaci, ponieważ każde spożycie alkoholu (także w małych ilościach) obciąża wątrobę i opóźnia jej wyleczenie. Nawet jeśli stłuszczenie wątroby nie wiąże się z nadużywaniem alkoholu, nie wolno spożywać go aż do całkowitego wyzdrowienia.

• Dieta wątrobowa, niskokaloryczna i niskotłuszczowa bez żadnych sztucznie przetworzonych węglowodanów, a przede wszystkim bez żadnych pozostałości chemicznych i dodatków. W praktyce medycyny naturalnej zazwyczaj najlepiej sprawdza się dieta wegetariańska z zawartością surowych produktów spożywczych aż do 50%, odpowiadająca diecie wprowadzonej przez dr. Birchera-Bennera. Medycyna akademicka pozwala spożywać także niskotłuszczowe wyroby mięsne.

Bez spełnienia tych dwu podstawowych warunków leczenie stłuszczenia wątroby jest bardzo trudne, trwa zazwyczaj znacznie dłużej i u części pacjentów nie jest całkowicie skuteczne. Nawet najlepsze leczenie farmakologiczne nie działa optymalnie, gdy nie będzie się przestrzegać powyższych zaleceń.

Dobór leków uzupełniających leczenie zasadnicze, polegające na rezygnacji z alkoholu i na przestrzeganiu diety, może być dokonany tylko indywidualnie przez lekarza. Praktycznie zawsze jest wskazany wymieniany już wielokrotnie *ostropest plamisty*, ponieważ najlepiej działa na wątrobę. Nie można jednak oczekiwać wystarczająco silnego działania po herbacie z tej rośliny leczniczej; taka postać jest raczej odpowiednia w profilaktyce. W leczeniu chorób wątroby powinno się stosować wyłącznie gotowe leki z ostropestu plamistego, zgodnie z przepisem lekarza. W przeciwieństwie do herbaty, w ich przypadku zagwarantowana jest stała ilość substancji czynnej i dlatego można je precyzyjnie dozować.

Ostropest plamisty

Ponadto w leczeniu schorzeń wątroby odpowiednie są różne środki homeopatyczne. Do najważniejszych należy znów ostropest plamisty, który jest skuteczny także jako środek homeopatyczny. Poza tym często zaleca się *widłak* i *glistnik jaskółcze ziele*. Zbędne jest dokładne przedstawianie tych i innych środków, ponieważ warunkiem skutecznego leczenia homeopatycznego jest indywidualny dobór odpowiedniego środka.

Homeopatyczne środki lecznicze

Regenerację wątroby mogą wspomagać ponadto zastrzyki z *wyciągu z wątroby*. Ze względu na potencjalne działania uboczne terapii komórkowej często wskazane jest podawanie wyciągu w nieszkodliwej postaci środka homeopatycznego.

Zastrzyki z wyciągu z wątroby

Leczenie farmakologiczne można wspomóc po uzgodnieniu tego z lekarzem specjalistą, stosując miejscowo

Wspomaganie leczenia kompresami i okładami

47

kompresy i okłady. Pobudzają one z zewnątrz czynność wątroby i poprawiają ukrwienie tego narządu.

W stłuszczeniu wątroby odpowiednie są przede wszystkim następujące kompresy i okłady:

Kompresy z siana

Przygotowywano je pierwotnie w ten sposób, że siano wsypywano do lnianego worka, który zanurzano w gotującej się wodzie, żeby naciągnęło, a po ostudzeniu kładziono w okolicy wątroby. Dziś zabieg ten jest dużo prostszy, ponieważ w aptece dostępne są gotowe kompresy z siana, które stosuje się zgodnie z przepisem użycia. Powinno się przykładać je codziennie na prawe nadbrzusze przez 60–90 minut (jeśli nie zalecono inaczej), przy czym na kompres kładzie się prześcieradło, a na nie wełniany szal i owija się nimi ciało. Po zakończeniu zabiegu usuwa się prześcieradło, szal i kompres i pozostaje jeszcze przez 0,5–1 godziny w ciepłym łóżku.

Kompresy z siana szczególnie skutecznie pobudzają czynności wątroby, łagodzą bóle i powodują zmniejszenie jej obrzmienia.

Okłady na lędźwie

Trzeba przygotować wewnętrzne prześcieradło o wymiarach ok. 80×180 cm, trochę większe prześcieradło środkowe i jeszcze nieco większy zewnętrzny koc wełniany. Najpierw w poprzek łóżka kładzie się koc wełniany, na niego kładzie się środkowe prześcieradło, a na nie prześcieradło wewnętrzne, które zależnie od zaleceń zamacza się w zimnej lub ciepłej wodzie i lekko wyżyma. Pacjent kładzie się na nie tak, by okład sięgał od dolnego łuku żebrowego aż do środka ud. Następnie owija się ciało po kolei 3 warstwami. Po 60–90 minutach zabieg się kończy, ale należy pozostać jeszcze przez 0,5–1 godziny w ciepłym łóżku. Okłady na lędźwie stosuje się 1–3 razy dziennie, najlepiej po posiłkach.

Okłady częściowe

Przygotowywane są podobnie jak okłady na lędźwie, ale warstwy materiału muszą mieć rozmiary 160×180 cm,

łatwy zabieg

ponieważ te okłady sięgają od pach po kolana. Z tego powodu działają silniej od okładów na lędźwie i stosuje się je tylko raz dziennie. Nie wszyscy pacjenci dobrze znoszą ten męczący zabieg. Istnieje jeszcze kilka innych naturalnych metod leczenia stłuszczenia wątroby. Nie trzeba ich tu jednak opisywać, bo mogą być przepisane tylko w konkretnych przypadkach przez lekarza. Powyższe środki są jednak zazwyczaj wystarczające, by otłuszczona wątroba szybko się zregenerowała.

Po wyzdrowieniu konieczne jest oczywiście konsekwentne wyeliminowanie wszystkich błędów żywieniowych i zmiana trybu życia, który przyczynił się do stłuszczenia wątroby. W przeciwnym razie grozi nawrót schorzenia, którego być może nie uda się już całkowicie wyleczyć.

Należy wyeliminować wszelkie błędy żywieniowe i zmienić tryb życia.

W stadium III stłuszczenia wątroby postępuje się podobnie jak przy marskości wątroby. Z reguły nie można już wtedy osiągnąć wyzdrowienia. Dzięki odpowiednim metodom przyrodoleczniczym można jednak zahamować rozwój choroby i złagodzić jej objawy.

Ostre i przewlekłe zapalenie wątroby

Zapalenie wątroby należy do częstszych jej schorzeń. Początkowo obejmuje głównie tkankę łączną wątroby, później uszkodzeniu ulegają też komórki wątrobowe. Ostre zapalenie można całkowicie wyleczyć, ale może też przejść ono w postać przewlekłą. W razie niewystarczającego leczenia jako odległe następstwo grozi marskość wątroby.

Zapalenie wątroby

Postacie ostrego zapalenia wątroby

Ostre zapalenie wątroby wywoływane jest przeważnie przez wirusy, a w części przypadków także przez bakterie. Możliwe też są inne przyczyny tej choroby, ale występują rzadziej.

Wywołane przez wirusy lub bakterie

49

Zapalenie wskutek zakażenia wirusowego

Wirusy są najmniejszymi zarazkami, widocznymi tylko pod mikroskopem elektronowym. W przeciwieństwie do bakterii można je tylko warunkowo zaliczyć do form żywych, zajmują pozycję między materią żywą i nieożywioną i budzą się do pewnego rodzaju „pożyczonego życia", gdy zakażają żywą komórkę. Z tego powodu nie należy ich nigdy zwalczać antybiotykami lub sulfonamidami, które są skuteczne tylko przeciw bakteriom i niewielu dużym wirusom. Wirusy są też zazwyczaj o wiele bardziej odporne na środki dezynfekujące i wysoką temperaturę niż żywe bakterie. Ostatecznie więc z tymi zarazkami zawsze musi sobie poradzić własny układ odpornościowy organizmu. Leczenie może jedynie w tym pomagać.

Rozróżnia się obecnie 3 typy wirusów, które mogą wywoływać zapalenie wątroby.

Są to:

- *wirus zapalenia wątroby typu A*, powodujący zakaźne wirusowe zapalenie wątroby typu A,
- *wirus zapalenia wątroby typu B*, powodujący wirusowe zapalenie wątroby typu B, określane jako zapalenie wątroby wirusowe wszczepienne,
- wirusy zapalenia wątroby nie-A, nie-B, według nowszej wiedzy określane jako *wirusy zapalenia wątroby typu C*, grupa zarazków, które powodują zapalenie wątroby typu C.

Najczęstszą formą wirusowego zapalenia wątroby jest zakaźne zapalenie wątroby typu A, przybierające niekiedy rozmiar epidemii. Wirusy przenoszone są na skutek zakażenia spowodowanego kontaktem z kałem zawierającym wirusy, np. wskutek spożywania zanieczyszczonej wody lub zakażonych artykułów spożywczych. Na zapalenie wątroby typu A częściej zapadają dzieci, młodzież i młodzież starsza. Szczególnie zagrożeni są wszyscy ludzie, niezależnie od wieku, którzy żyją w niehigienicznych warunkach. Ponadto do grupy ryzyka, ze względu na swoje praktyki seksualne, należą homoseksualiści.

Nie można zwalczyć wirusów antybiotykami

3 typy wirusów

Zapalenie wątroby typu A

Między zarażeniem się i pojawieniem choroby mija 2–5 tygodni (czas wylęgania). W tym czasie jako niecharakterystyczne zwiastuny występują zazwyczaj ogólne zaburzenia trawienia, dolegliwości reumatoidalne lub bóle gardła i katar, tak jak przy przeziębieniu. Często wraz ze stolcem wydalane są wirusy, które mogą przenosić zapalenie wątroby.

Czas wylęgania

Po okresie wylęgania zapalenie wątroby objawia się często *żółtaczką*. Rozpoznaje się ją początkowo, zanim obejmie skórę i błony śluzowe, po „bieli" oczu. Najpierw skóra i błony śluzowe mają barwę czerwonawożółtą, następnie po 1–2 tygodniach zielonawożółtą. Niewystąpienie żółtaczki nie świadczy o tym, że nie doszło do zapalenia wątroby, ponieważ prawie w 50% przypadków zapalenie wątroby przebiega bez tego objawu.

Często rozpoczyna się żółtaczką

Inne często występujące symptomy tej choroby to brak apetytu, nudności, świąd skóry, jaśniejszy aż po białawy stolec, piwnobrązowy mocz, zwolnione tętno i nierzadko gorączka. Niekiedy pojawia się odropodobna wysypka skórna. Wątroba i śledziona zazwyczaj też są obrzękłe i podczas obmacywania z zewnątrz wyczuwa się, że są powiększone. Jednak jedynie na podstawie tych objawów nie można w całkowicie pewny sposób stwierdzić, czy doszło do zapalenia wątroby typu A. Konieczne są laboratoryjne badania diagnostyczne krwi, niekiedy też pobranie próbek tkanki z wątroby (biopsja).

Inne objawy chorobowe

Zapalenie wątroby wszczepienne typu B nie występuje tak często jak typu A. Przenoszone jest na niewystarczająco wysterylizowanych strzykawkach i narzędziach chirurgicznych w trakcie wstrzykiwania leków lub narkotyków, podczas transfuzji krwi i zabiegów chirurgicznych.

Zapalenie wątroby wszczepienne typu B

Szczególnie narażeni są narkomani, którzy nie troszczą się o sterylność i wielokrotnie używają tych samych strzykawek, a nawet wymieniają je między sobą. Ale także w praktyce medycznej wciąż dochodzi do takich zakażeń wskutek lekceważenia właściwie oczywistych zasad higieny.

Grupy ryzyka

Odkąd wykonuje się u nas częściej akupunkturę, częściej też występują zakażenia wirusowym zapaleniem wątroby typu B w wyniku niedostatecznego wysterylizowania igieł do akupunktury. To spowodowało, że wielu lekarzy do wstrzykiwania i akupunktury używa zapobiegawczo tylko produktów jednorazowych, które zostały przez producenta wyjałowione i sterylnie zapakowane. Dzięki temu wyeliminowane jest praktycznie wszelkie ryzyko.

Ryzyko związane z igłami do akupunktury

Objawy zapalenia wątroby typu B nie różnią się w zasadniczy sposób od objawów wirusowego zapalenia wątroby typu A. Jedynie czas wylęgania jest znacznie dłuższy, bo wynosi od 4 do 19 tygodni (niekiedy nawet dłużej). Stąd też nie zawsze udaje się ustalić związek między chorobą i zastrzykiem lub leczeniem akupunkturą.

Objawy jak w zapaleniu wątroby typu A

Zapalenie wątroby typu C bardzo przypomina pod względem dróg zakażenia, symptomów i przebiegu zapalenie wątroby typu A. Jednakże choroba ta nie jest jeszcze całkowicie zbadana, a więc na razie niektóre kwestie są niewyjaśnione.

Zapalenie wątroby typu C

Poza zakażeniami wirusami zapalenia wątroby typu A, B i C wirusowe zapalenie wątroby może występować też jako powikłanie innej choroby wirusowej. Jest to możliwe między innymi przy chorobie o zazwyczaj łagodnym przebiegu – zakaźnej mononukleozie, bardziej znanej jako *choroba Pfeiffera*, która dotyka przede wszystkim starsze dzieci i starszą młodzież. W przebiegu tej choroby często występuje obrzęk wątroby, a w przypadku około 7% pacjentów dochodzi do żółtaczki. Ale „prawdziwe" wirusowe zapalenie wątroby jako powikłanie tego schorzenia rozwija się rzadko.

Powikłania innych chorób wirusowych

Choroba Pfeiffera

Natomiast *żółta gorączka* powoduje dolegliwości wątroby praktycznie zawsze. Często choroba ta prowadzi do ciężkiego zapalenia wątroby, po którym mogą pozostać trwałe jej uszkodzenia. Wprawdzie żółta gorączka nie występuje w naszej szerokości geograficznej, ale podróżujący do strefy tropikalnej Europejczycy, którzy nie poddali się szczepieniom ochronnym, również mogą się zarazić tą nierzadko śmiertelną chorobą.

Żółta gorączka

Niech wystarczą te dwa przykłady, ponieważ istnieje zbyt wiele różnych zakażeń wirusowych, które mogą prowadzić do zapalenia wątroby, by można je było tutaj wszystkie wymienić. W rzadkich przypadkach zapalenie wątroby może być powikłaniem zwykłego przeziębienia. Zapalenie takie przebiega podobnie do zapalenia wątroby typu A. Leczenie musi obejmować leczenie zarówno chorobę podstawową, jak i zapalenie wątroby.

Bakteryjne zapalenie wątroby

Większość przypadków zapalenia wątroby jest wywoływana przez wirusy, ale możliwe jest też bakteryjne zapalenie wątroby. Najczęściej powstaje ono na skutek zakażenia bakteriami *salmonelli*, które dostają się do organizmu głównie z zakażonymi, przechowywanymi w nieodpowiedniej temperaturze zwierzęcymi produktami spożywczymi (często jajkami, mrożonym drobiem).

Zakażenie salmonellą

Istnieją różne rodzaje salmonelli, które powodują głównie ostry nieżyt żołądka i jelit, w ciężkich przypadkach paradur lub dur. Jeśli zarazki przedostaną się do wątroby, mogą wywołać zapalenie wątroby jako komplikację.

Podrzędną, ale nie do pominięcia rolę odgrywają *prątki Kocha* (gruźlicy). Zakażenie to powoduje przede wszystkim znów coraz częściej występującą gruźlicę płuc. Może jednak dojść też do gruźliczych zapaleń w jelitach, nerkach, na skórze i właśnie w wątrobie.

Prątki Kocha

Określone grupy zawodowe, zwłaszcza rzeźnicy, osoby opiekujące się zwierzętami i weterynarze mogą zachorować na *chorobę Banga* (brucelozę). Powodowana jest ona przez małe bakterie z gatunku Brucella. Przenoszenie zachodzi przez kontakt z chorym bydłem. W rzadkich przypadkach można się zarazić, pijąc mleko chorych zwierząt, ale dzięki surowym przepisom sanitarnym dotyczącym produkcji mleka, jest to u nas prawie wykluczone. Choroba nie jest zazwyczaj groźna dla człowieka, ale może trwać długo. W takim przypadku również istnieje ryzyko wystąpienia zapalenia wątroby jako komplikacji.

Choroba Banga

Gorączka maltańska

Pałeczki brucelozy powodują również *gorączkę maltańską*. Ta przebiegająca z epizodami gorączki choroba zakaźna występuje nie tylko na obszarze śródziemnomorskim, lecz także w innych częściach świata, u nas jednak rzadko. Do zakażenia dochodzi przez kontakt z chorymi owcami. Niekiedy komplikacją tej choroby bywa ostre zapalenie wątroby.

Bakteryjne zapalenie wątroby przebiega podobnie do wirusowego. W przeciwieństwie do niego możliwe

Możliwa jest kuracja antybiotykowa

jest jednak skuteczne przeciwdziałanie zarazkom przy użyciu antybiotyków. Pomimo to powinno się tak samo jak w chorobach wirusowych pobudzać własną odporność organizmu, aby chorobę przezwyciężyć szybko, całkowicie i bez komplikacji.

Zapalenie wątroby wywołane przez inne czynniki chorobotwórcze

Poza wirusami i bakteriami również inne czynniki chorobotwórcze mogą powodować ostre zapalenie wątroby. U nas takie choroby występują jednak niezwykle rzadko, zarazki są rozpowszechnione przeważnie poza Europą. Wymieńmy więc tylko kilka czynników chorobotwórczych, które mogą wywoływać zapalenie wątroby:

Pierwotniaki

• *Pierwotniaki*, które są jednokomórkowymi organizmami, wywołującymi między innymi czerwonkę pełzakową, malarię i śpiączkę. Komplikacją tych chorób może być zapalenie wątroby.

Riketsje

• *Riketsje* zajmują pozycję między bakteriami i wirusami. Są przenoszone przez owady (np. wszy, roztocza, kleszcze) i mogą powodować różnorodne stany chorobowe, np. dur plamisty, w którego przebiegu zapalenie wątroby może wystąpić jako komplikacja.

Krętki

• *Krętkami* określa się śrubowo skręcone zarazki, które wykazują znaczne podobieństwo do bakterii; poza chorobą weneryczną – kiłą powodują przenoszoną przez gryzonie (ukąszenie przez szczury lub myszy) chorobę Weila, a także mającą grypopodobny przebieg gorączkę żniwiarzy (pojawiającą się przy pracach rolnych), którym może towarzyszyć zapalenie wątroby.

Nie wyjaśniono jeszcze ostatecznie przyczyn *choroby Besniera-Boecka-Schaumanna* (sarkoidoza). Przypuszcza się, że ma ona związek z gruźlicą. Ta często przewlekła choroba prowadzi do brązowoczerwonych guzowatych lub płaszczyznowych zmian skórnych, niekiedy na nosie. Poza tym może zaatakować kości i węzły chłonne oraz narządy wewnętrzne np. wątrobę, płuca, śledzionę i nerki.

Choroba Besniera-Boecka-Schaumanna

Szczególne postacie ostrego zapalenia wątroby
Występuje jeszcze kilka szczególnych postaci ostrego zapalenia wątroby, których przyczyny i/lub przebieg odbiegają od dotychczas opisanych. Krótko zajmiemy się najważniejszymi z nich.

Zapalenie wątroby toczniopodobne (młodzieńcze) dotyka przede wszystkim młodsze kobiety. Przypomina ostre wirusowe zapalenie wątroby, ale szybko prowadzi do marskości wątroby i ostatecznie do śmierci w śpiączce wątrobowej. Przyczyny takiego przebiegu choroby nie są jeszcze jednoznacznie wyjaśnione, prawdopodobnie powodują ją procesy autoimmunologiczne, polegające na tym, że organizm wytwarza przeciwciała przeciw własnej wątrobie, które ją niszczą.

Zapalenie wątroby toczniopodobne

Zapalenie wątroby powodujące martwicę towarzyszy szczególnie ciężkim chorobom zakaźnym i zatruciom. W jego przebiegu obumierają komórki wątrobowe. W razie rozległego rozpadu tkanki wątrobowej postać ta kończy się często śmiercią.

Zapalenie wątroby powodujące martwicę

Kilakowe zapalenie wątroby wątroby charakteryzuje się powstawaniem podobnych do gumy węzłów w wątrobie, poza tym dochodzi do głębokich, bliznowatych zaklęśnięć z tworzeniem się płatów, dlatego kliniczny obraz choroby nazywa się też wątrobą płatowatą. Ta szczególna postać zapalenia pojawia się jako odległe następstwo kiły w jej trzecim stadium.

Zapalenie wątroby kilakowe

Wątroba płatowata

W szerszym sensie do szczególnych postaci można też zaliczyć zapalenie wątroby z komplikacjami. Częstość występowania takich komplikacji jest zróżnicowana i zależy przede wszystkim od tego, jak wcześnie choroba została rozpoznana.

Nierzadko w przebiegu zapalenia wątroby dochodzi do zastoju żółci w przewodzikach żółciowych włosowatych wątroby, co zaostrza zapalenie. W przebiegu zapalenia wątroby może też wystąpić zapalenie pęcherzyka żółciowego i kamienie żółciowe. Zajmiemy się tym szczegółowo później we fragmencie tekstu dotyczącym schorzeń dróg żółciowych.

Zawartość bilirubiny może być zbyt wysoka

Żółtaczka występująca epizodami

Po przebytym zapaleniu wątroby, głównie u mężczyzn w wieku od 20 do 40 roku życia, obserwuje się we krwi zbyt wysoką zawartość barwnika żółciowego (bilirubiny). Prowadzi to do przebiegającej rzutami żółtaczki, szczególnie wtedy, gdy występują obciążenia psychiczno-nerwowe, którym towarzyszy znużenie, nerwowość, zaburzenia trawienia i ucisk w okolicy wątroby. W diagnostycznych badaniach laboratoryjnych nie stwierdza się jednak żadnych odbiegających od normy wartości wątrobowych. Tego typu komplikacja zazwyczaj całkowicie ustępuje.

Inne komplikacje

Wreszcie w przebiegu ostrego zapalenia wątroby lub po nim może dojść do nieżytu żołądka i/lub do zaburzeń wydzielania enzymów trzustki z zaburzeniami trawienia.

Wszystkie komplikacje zapalenia wątroby wymagają dodatkowego, ukierunkowanego leczenia. Jeśli zapalenie wątroby będzie wcześnie rozpoznane i leczone, zmniejszy się ryzyko wystąpienia komplikacji.

Przewlekłe zapalenie wątroby

Istnieją takie rodzaje zapalenia wątroby, które od samego początku mają przewlekły przebieg. Przyczyny tego nie są jeszcze wyjaśnione. Przypuszczalnie może to być związane z zaburzeniem działania układu odpornościowego organizmu, który zaczyna wytwarzać przeciwciała przeciw własnej wątrobie. Tego typu zapalenie wątroby zaliczane jest do chorób autoimmunologicznych

Choroby autoimmunologiczne

o nieznanym jeszcze do końca mechanizmie działania. Podobnie jak w przypadku ostrego zapalenia wątroby toczniopodobnego, może szybko dojść do groźnej marskości wątroby. Jednakże przyczyną większości przypadków przewlekłego zapalenia wątroby jest niecałkowicie wyleczone ostre zapalenie wątroby. Wówczas zapalenie może występować przez cały czas lub przebiegać nawrotami, które mogą pojawić się w każdym momencie, ale jest duża szansa na to, że w końcu ustąpi całkowicie.

Przewlekłe zapalenie wątroby wywołuje niecharakterystyczne objawy. Mogą one przez długi czas mieć tak umiarkowane natężenie, że pacjenci nie poddają się badaniom. Potem uszkodzenia wątroby są coraz większe i przewlekłe zapalenie wątroby przechodzi w końcu w marskość wątroby. Należy więc przeprowadzić specjalistyczne badania pozwalające na szybkie podjęcie ewentualnego leczenia, jeśli tylko wystąpią następujące niejasne objawy mogące wskazywać na przewlekłe zapalenie wątroby:

Niecharakterystyczne objawy

Objawy ostrzegawcze

• ogólne zmęczenie, znużenie, osłabienie i zmniejszona wydolność, której niekiedy towarzyszy depresyjna słabość napędu,
• uczucie ucisku i napięcia w prawym podbrzuszu, wyczuwanie dotykiem pod prawym łukiem żebrowym powiększonej i stwardniałej wątroby, niekiedy też powiększona śledziona pod lewym łukiem żebrowym.
• zaburzenia trawienia, głównie brak apetytu, skłonność do wzdęć i nietolerancja tłuszczu,
• stan podżółtaczkowy, tzn. żółtaczka rozpoznawalna tylko po „bieli" oczu, ale nie wywołująca żółtego zabarwienia skóry,
• objawy skórne wątrobowe, a więc zaczerwienie dłoni od wewnątrz i gwiaździste rozszerzenia drobnych tętniczek skóry na twarzy, na piersiach i na ramionach, niekiedy też świąd skóry.

Im częściej te objawy występują przewlekle lub nawracają, tym bardziej prawdopodobne jest, że mamy do czynienia z przewlekłym zapaleniem wątroby.

Diagnoza możliwa jest
tylko po wykonaniu
specjalistycznych badań

Wiarygodna diagnoza jest jednak możliwa dopiero po wykonaniu specjalistycznych badań, polegających na skontrolowaniu diagnostycznymi metodami laboratoryjnymi różnych czynności wątroby. Dodatkowo może być konieczne wykonanie biopsji, pozwalającej na pobranie tkanki wątrobowej do badania.

Można wreszcie przez małe nacięcie w ścianie jamy brzusznej wprowadzić endoskop i dokładnie obejrzeć powierzchnię wątroby.

Skuteczne leczenie zapalenia wątroby

Zapalenie wątroby
jest zawsze poważną
chorobą

Ze względu na liczne, niezwykle istotne dla życia zadania wątroby zapalenie tego narządu jest zawsze poważną chorobą. Nawet jeśli wywołuje tylko umiarkowane dolegliwości, nie można go lekceważyć, bo w przeciwnym razie grozić będzie nieuleczalna marskość wątroby. Im wcześniej rozpocznie się terapię, tym bardziej pomyślne są rokowania i duża szansa na to, że w pełni wyleczy się zapalenie wątroby, bez komplikacji i trwałych uszkodzeń.

Naturalne metody
lecznicze jak najbardziej
odpowiednie

Do leczenia zapalenia wątroby jak najbardziej nadają się różne naturalne metody lecznicze. Stosowanie antybiotyków w tym przypadku chorobowym ma sens tylko wtedy, gdy występuje zapalenie bakteryjne, ponieważ przeciw częściej występującym zakażeniom wirusowym nic się nimi nie wskóra. Leczenie metodami medycyny naturalnej, prowadzone przez terapeutę doświadczonego w zakresie przyrodolecznictwa, może pozwolić na zupełne wyeliminowanie z terapii antybiotyków mających szkodliwe działania uboczne i doprowadzenie organizmu do takiej kondycji, że zwalczy chorobę własnymi siłami.

Podstawą w leczeniu zapalenia wątroby jest tak jak w przypadku stłuszczenia wątroby całkowita rezygnacja z alkoholu i sprzyjająca zdrowieniu dieta wątrobowa.

Należy unikać alkoholu

Przy zapaleniu wątroby (jak przy wszystkich schorzeniach tego narządu) należy aż do całkowitego wyleczenia unikać *alkoholu*, który jest silną trucizną dla wątroby, bo w przeciwnym razie istnieje ryzyko rozwinięcia się przewlekłego zapalenia wątroby. Osoby cierpiące na przewlekłe zapalenie wątroby, powinny zrezygnować z alkoholu także po wyzdrowieniu, ponieważ „nadwątlona" wątroba jeszcze przez jakiś czas będzie szczególnie wrażliwa. Można wtedy pić alkohol co najwyżej od czasu do czasu, przy szczególnych okazjach i w umiarkowanych ilościach.

Kto nie może całkowicie powstrzymać się od picia alkoholu, powinien omówić ten problem ze swoim lekarzem. Być może występuje u niego uzależnienie alkoholowe, które musi być leczone w specjalistycznej klinice.

Dietę wątrobową przepisuje indywidualnie lekarz. Zależy ona przede wszystkim od tego, czy występuje lekkie czy ciężkie, ostre czy przewlekłe zapalenie wątroby. Poza tym powinien on zwrócić uwagę na to, jakie artykuły spożywcze dany pacjent źle toleruje, czyli jakie powinien całkowicie wykluczyć (przede wszystkim chodzi o produkty obfitujące w tłuszcz).

Dieta wątrobowa zależy od rodzaju zapalenia wątroby

W większości przypadków dobre wyniki osiąga się, stosując bogatą w surowe produkty spożywcze, wegetariańską dietę pełnowartościową dr. Birchera-Bennera. Można ją stosować zarówno w ostrym zapaleniu wątroby, jak i w długotrwałym leczeniu zapalenia przewlekłego, ponieważ w przeciwieństwie do wielu innych diet nie jest jednostronna, lecz dostarcza organizmowi wszystkich potrzebnych substancji odżywczych i witalnych.

Dieta pełnowartościowa Birchera-Bennera

W ramach wdrażania leczenia dietą terapeuta może w razie potrzeby przepisać specjalne formy odżywiania się. Między innymi często wchodzi w rachubę przez krótki czas *kuracja żętycowa* (żętyca = serwatka z owczego mleka). Stosując ją, nie pości się tak ściśle, jak w diecie głodowej, lecz w małych porcjach rozdzielonych na cały dzień spożywa się 1l serwatki (ze sklepu ze zdrową żywnością), a do tego jeszcze 100–150 g świeżych owoców lub surowej marchwi. Kurację żętycową można uzupełnić różnymi sokami roślinnymi, przede wszystkim z karczocha,

Kuracja żętycowa

pokrzywy i mniszka, które mają korzystne działanie na wątrobę. Soki te także powinny pochodzić ze sklepu ze zdrową żywnością. Będzie to gwarancją, że są w postaci nieprzetworzonej. Z reguły wprowadzająca kuracja żętycowa trwa 3–5 dni, następnie przechodzi się na wegetariańską dietę pełnowartościową. Jeśli zapalenie wątroby ma przebieg przewlekły, można regularnie powtarzać krótkie (1–2 dniowe) okresy kuracji żętycowej.

Dieta kilkudniowa oparta na kleiku z ziaren zbóż z pełnego przemiału lub kaszka pszenna

Zamiast kuracji żętycowej jako wprowadzenie do leczenia może być stosowana kilkudniowa dieta oparta na kleiku z ziaren zbóż z pełnego przemiału lub kaszka pszenna, co służy przejściowemu odciążeniu wątroby. Te krótkotrwałe kuracje nie są jednak tak skuteczne w schorzeniach wątroby jak kuracja żętycowa. Powinno się je przeprowadzać tylko w wyjątkowym przypadku z przepisu lekarza przez krótki czas, a nie jako dłuższe leczenie, stąd też dokładny opis tych form diety jest tu zbędny.

Leki homeopatyczne

Medycyna naturalna zaleca przeważnie w ramach leczenia farmakologicznego zapalenia wątroby *homeopatyczne substancje czynne*. Do standardowych środków należą między innymi Aconitum, Bryonia, Chelidonium, Mercurius solubilis i fosfor. Ale to jest tylko mały wycinek odpowiednich środków homeopatycznych, który w żadnym razie nie powinien służyć jako wskazanie do samoleczenia.

Roślinne środki lecznicze

Homeopatia należy do naturalnych metod leczniczych, w których nie można po prostu zastosować standardowego leku pasującego do danej choroby. Każdy środek musi być starannie dobrany, tak by jak najdokładniej pasował do indywidualnego obrazu klinicznego choroby. W zależności od jej przebiegu wskazana początkowo substancja czynna może zostać zastąpiona innymi, które być może będą wówczas bardziej odpowiednie. Właściwe dobranie tych preparatów wymaga specjalistycznego wykształcenia i dużego doświadczenia, dlatego wyklucza każdą próbę samopomocy.

Jeżówka

Uzupełnieniem homeopatii mogą być *roślinne środki lecznicze*. Początkowo w zapaleniu wątroby wskazana jest *jeżówka*, podwyższająca odporność organizmu. Ponadto istnieją różne gotowe preparaty, które zażywa się lub wstrzykuje zgodnie z zaleceniami lekarza. Jeżówka może w znacznym stopniu przyczynić się do wyzdrowienia, szczególnie w wirusowym zapaleniu wątroby, gdy stosowanie antybiotyków nie ma sensu. Obywając się bez antybiotyków, samym tylko podwyższeniem odporności organizmu można po części leczyć też zakażenia bakteryjne.

Inną ważną rośliną leczniczą stosowaną w leczeniu chorób wątroby jest wymieniany już wielokrotnie przy innych schorzeniach tego narządu *ostropest plamisty*. Pomaga on zregenerować się organowi, w którym rozwinęło się zapalenie. Ostropest plamisty jest skuteczny także w postaci leku homeopatycznego, ale to lekarz musi zdecydować, w jakiej formie powinien zostać podany. W każdym razie należy stosować zawsze gotowe preparaty, ze stałą zawartością substancji czynnych, a nie herbatę czy sok.

Ostropest plamisty

Terapię farmakologiczną wspomagają *środki fizykalne*, pobudzające z zewnątrz działanie wątroby i poprawiające jej ukrwienie. Przepisywane są zazwyczaj, szczegółowo opisane w części dotyczącej stłuszczenia wątroby, kompresy z siana, okłady na lędźwie i okłady częściowe.

Środki fizykalne

Niektórzy lekarze donoszą o dobrych doświadczeniach ze *stawianiem baniek* na prawym nadbrzuszu. Lekarz stawia w okolicach wątroby szklane bańki, z których wypompowuje się powietrze. Próżnia działająca na skórę powoduje pewnego rodzaju krwawą wybroczynę. W ten sposób wytwarzany jest bodziec, który przez układ nerwowy dociera do wątroby i wspomaga jej leczenie. Warto więc wykorzystać stawianie baniek jako terapię dodatkową.

W wielu przypadkach zapalenia wątroby o charakterze przewlekłym poza opisanymi już sposobami leczenia można zalecić jeszcze kilka innych metod przyrodoleczniczych. Należy do nich między innymi coraz popularniejsze *leczenie tlenem*. Tego typu terapia powoduje wzbogacenie krwi w tlen, którego więcej dociera do wątroby, wspomagając jej leczenie i zwiększając sprawność działania.

Leczenie tlenem

Poza tym w uporczywych zapaleniach wątroby w rachubę wchodzi też *leczenie komórkowe*. W pierwotnej formie przeprowadza się je przy pomocy komórek zwierzęcych – głównie pochodzących z wątroby. Według twierdzeń specjalistów, komórki te selektywnie pobudzają

Leczenie komórkowe

regenerację chorego narządu. Leczenie to jednak budzi duże kontrowersje, ponieważ niekiedy może spowodować poważne działania uboczne. W przypadku fachowego zastosowania tej metody, ryzyko jest jednak niewielkie. Pomimo to powinno się rozważyć zastąpienie komórek środkiem homeopatycznym na bazie komórek, nie powodującym żadnych skutków ubocznych. W ten sposób wątroba zostanie pobudzona do regeneracji równie skutecznie.

Prowadząc dostatecznie długo powyższą terapię holistyczną, można całkowicie wyleczyć ostre zapalenie wątroby. Co prawda, istnieje jeszcze kilka innych metod leczenia, ale są one stosowane tylko wyjątkowo. Nie jest tu konieczne ich opisywanie.

Prowadząc leczenie całościowe można wyleczyć zapalenie wątroby

Marskość wątroby

Powstawanie

Twardnienie i marskość wątroby rozwija się z innych schorzeń wątroby, które nie zostały właściwie wyleczone. Na określenie *marskości wątroby* wybrano greckie słowo *kirrhós*, które oznacza *żółty*, ponieważ stwardniała tkanka wątrobowa wygląda jaśniej (żółtawo) niż tkanka zdrowa.

Wyleczenie tej ciężkiej przewlekłej choroby jest prawie niemożliwe i zazwyczaj po długim okresie ogólnego wyniszczenia kończy się zgonem. Za pomocą metod przyrodoleczniczych, zupełnie możliwe jest jednak powstrzymanie przez dłuższy czas jej rozwoju i znaczne polepszenie stanu zdrowia pacjenta.

Ostra marskość wątroby spowodowana truciznami

Ostra marskość wątroby zagraża życiu

Ostra marskość wątroby (martwica wątroby, zanik wątroby) zagraża życiu i może w krótkim czasie doprowadzić do zgonu. Zazwyczaj spowodowana jest ciężkimi zatruciami, między innymi muchomorem sromotnikowym lub fosforem żółtym.

Inne przyczyny

Innymi przyczynami mogą być ciężkie bakteryjne choroby zakaźne, podczas których zarazki wydzielają substancje zatruwające organizm. Odpowiedzialne są za to głównie posocznica, błonica i ciężkie zatrucia pokarmowe jadem kiełbasianym.

Niektóre substancje trujące produkowane w samym organizmie mogą prowadzić do ostrej martwicy wątroby. Dotyczy to np. produkowanego w nadmiarze hormonu tarczycy w nadczynności tego gruczołu (choroba Basedowa).

Wreszcie schorzenie to może powstać w ostatnim trymestrze ciąży, podczas porodu lub – rzadziej – w połogu wskutek zatrucia ciążowego (rzucawka).

Choroba ta rozpoczyna się nagle, odrętwieniem, żółtaczką i wodobrzuszem. Zazwyczaj nawet dziś kończy się szybkim zgonem pomimo intensywnego leczenia szpitalnego. Jeśli uda się ją przeżyć, pozostają uszkodzenia wątroby prowadzące do przewlekłej marskości tego narządu.

Przewlekłe lżejsze zatrucia powstające głównie w wyniku nadużywania alkoholu i leków nie powodują w tak krótkim czasie kończącej się zgonem martwicy wątroby.

Objawy ostrej postaci choroby nie są wyraźne, ale zawsze występują znużenie, osłabienie i żółtaczka. Tę postać można wyleczyć całkowicie, podejmując w odpowiednim czasie leczenie.

Niektóre substancje trujące produkowane są w organizmie

Początek choroby

Objawy

Przewlekła marskość wątroby

Najczęściej marskość wątroby występuje w formie przewlekłej. Po części rozwija się ona z innych, niewyleczonych chorób wątroby (np. zapalenia, stłuszczenia), częściej jednak wskutek systematycznego nadużywania alkoholu. Niedobór białka jako przyczyna praktycznie już nie występuje, ponieważ w większości uprzemysłowionych krajów świata mamy do czynienia raczej z przekarmieniem białkiem niż dostarczaniem go do organizmu w zbyt małych ilościach.

Do przewlekłej marskości wątroby mogą prowadzić ponadto schorzenia dróg żółciowych.

Marskość rozpoczyna się od obumierania komórek wątrobowych, które zabliźniają się wówczas włóknisto.

Powstawanie

Tkanka wątrobowa ulega chorobowym przekształceniom i występują zmiany w obrębie naczyń wątrobowych. Ta bliznowato-łącznotkankowa przemiana wątroby prowadzi do tworzenia się na jej powierzchni guzków. Obserwując komórki wątrobowe pod mikroskopem, można wyraźnie rozpoznać zniszczenie ich normalnej struktury, prowadzące do postępującego osłabienia czynności narządu. Poza tym pojawiają się narośla w drogach żółciowych.

Rozróżnia się cztery postacie przewlekłej marskości wątroby, które opiszemy poniżej. Najczęściej występuje klasyczna postać zanikowa.

Klasyczna marskość wątroby zanikowa

Powstawanie

Ta rozpowszechniona postać marskości wątroby powstaje przeważnie na skutek nadużywania alkoholu, przewlekłego zapalenia lub stłuszczenia wątroby, rzadziej wskutek nienormalnego gromadzenia żelaza w wątrobie, któremu często towarzyszy cukrzyca. W początkowym stadium można już wyraźnie wyczuć pod prawym łukiem żebrowym powiększoną, stwardniałą wątrobę. Często obrzmiała jest też śledziona pod lewym łukiem żebrowym.

Subiektywne objawy

Subiektywne objawy są podobne do objawów obserwowanych w przewlekłym zapaleniu wątroby. Przede wszystkim występuje ogólne osłabienie i zmęczenie, nietolerancja tłuszczów, wzdęcia, nudności, skłonność do zaparć i nieprzyjemne uczucie ucisku pod prawym łukiem żebrowym.

Zazwyczaj zaczerwienione są wewnętrzne powierzchnie dłoni, przede wszystkim po stronie małego palca, a na twarzy, na piersi i na ramionach można zauważyć gwiaździste czerwonawe rozszerzenia drobnych tętniczek. Jeśli w tym początkowym okresie podejmie się terapię metodami przyrodoleczniczymi, często udaje się złagodzić objawy choroby i zatrzymać jej dalszy rozwój. Ale wielu chorych nie traktuje dostatecznie poważnie symptomów o umiarkowanym nasileniu i opóźnia rozpoczęcie leczenia. Wówczas bliznowato-włóknista przemiana tkanki wątrobowej

W początkowym stadium naturalne metody lecznicze mogą złagodzić przebieg choroby

postępuje niepowstrzymanie. Wskutek tego następuje zwężenie żyły wrotnej z nadciśnieniem wrotnym. Najpierw nasilają się wzdęcia, później do jamy brzusznej wylewa się z żył surowica. Prowadzi to do wodobrzusza z gromadzeniem się w nabrzmiałym brzuchu do 15 l (lub więcej) cieczy.

Zwężenie żyły wrotnej z nadciśnieniem wrotnym

Aby ominąć zwężoną żyłę wrotną, powstają naczynia oboczne (łączące) między układem żyły wrotnej i układem żyły głównej. Tworzą się przy tym poszerzone żylaki w przełyku i pod skórą brzucha, przede wszystkim w okolicy pępka.

Naczynia oboczne między układami żyły wrotnej i żyły głównej

Ze względu na specyficzny układ żylaki brzucha nazywa się, nawiązując do mitologii greckiej, *głową meduzy* (Caput medusae).

Głowa meduzy

W laboratoryjnych badaniach diagnostycznych uzyskuje się różne wyniki, nad którymi nie musimy się tu dużej zatrzymywać. Przede wszystkim wskazują one na zaburzenia metabolizmu białek, zmniejszoną krzepliwość i zmieniony skład krwi (często niedokrwistość).

Laboratoryjne badania diagnostyczne

W badaniu EKG stwierdza się w części przypadków osłabienie serca. Jeśli wprowadzi się do jamy brzusznej endoskop, można rozpoznać, że wątroba jest guzowata.

Dalszy przebieg przewlekłej marskości wątroby zanikowej grozi poważnymi komplikacjami, które nie zawsze poddają się leczeniu. Mogą to być przede wszystkim pęknięcia żylaków przełyku, stanowiące ostre zagrożenie dla życia. Prowadzą one do masywnego krwotoku z ust, który trudno zatamować, dlatego nierzadko kończy się zgonem. Część pacjentów umiera w śpiączce wątrobowej. Niekiedy w wyniku marskości rozwija się rak pierwotny wątroby, który również w krótkim czasie prowadzi do śmierci.

Komplikacje

Śmierć w śpiączce wątrobowej

Marskość wątroby żółciowa

Ta postać marskości wątroby ma swe źródło w układzie żółciowym. W zależności od przyczyny rozróżnia się marskość wskutek zapalenia dróg żółciowych oraz wskutek zastoju żółci w wątrobie.

Ma swe źródło w układzie żółciowym

Marskość wątroby
w przewlekłym
zapaleniu dróg
żółciowych
wewnątrzwątrobowych

Marskość wątroby w przewlekłym zapaleniu dróg żółciowych wewnątrzwątrobowych towarzyszy przewlekle nawracającym zapaleniom dróg żółciowych. Dochodzi przy tym stopniowo do marskich zmian tkanki wątrobowej. Typowymi objawami ostrzegawczymi są napady gorączki, często z dreszczami, żółtaczka i świąd skóry.

Zastoinowa marskość
wątroby

W *zastoinowej marskości wątroby* następuje zastój żółci, która stopniowo niszczy tkankę wątrobową i wywołuje w końcu marskość. Zazwyczaj przyczyną zastoju żółci jest zablokowanie dróg żółciowych odpływowych przez kamienie żółciowe lub guzy. Objawia się to przede wszystkim żółtaczką i powiększeniem wątroby. Obserwując ten narząd endoskopem, rozpoznaje się zazwyczaj gładką (nie guzowatą), powiększoną i zielonkawą wątrobę.

Marskość wątroby żółciowa przebiega podobnie do opisanej wcześniej klasycznej postaci zanikowej, lecz o wiele później dochodzi do znacznych utrudnień w krążeniu wrotnym.

Podstawową przyczyną
jest glikogenoza

Marskość wątroby wskutek glikogenozy

Podstawową przyczyną tej formy marskości wątroby jest *glikogenoza* (choroba spichrzania). Prowadzi ona do nadmiernego gromadzenia w wątrobie określonych substancji, które tak ciężko ją uszkadzają, że w końcu rozwija się marskość.

Są dwa typy glikogenoz

Glikogenozy dzieli się na *dwa typy*. W jednym do uszkodzenia wątroby dochodzi dopiero za sprawą zmagazynowanych substancji, podczas gdy w drugim uszkodzenie wątroby następuje, zanim substancje te zaczną się w nadmiarze gromadzić.

Do najważniejszych glikogenoz należą:

Choroba von Gierkego

*   *choroba von Gierkego* wskutek zaburzenia metabolizmu węglowodanów ze zwiększonym gromadzeniem się skrobi wątrobowej (glikogenu wątrobowego),

Hemochromatoza

*   *hemochromatoza* wskutek zaburzenia metabolizmu żelazowego ze zwiększonym gromadzeniem się żelaza w wątrobie,

- *choroba Handa-Schüllera-Christiana* z nienormalnym gromadzeniem cholesterolu, *choroby Gauchera i Niemanna-Picka* ze spichrzaniem innych tłuszczów, powstające na skutek zaburzeń metabolizmu tłuszczowego,

- *choroba Wilsona* wskutek zaburzenia metabolizmu miedzi ze zwiększonym magazynowaniem miedzi w wątrobie.

Choroba Hand-Schüller-Christiana

Choroba Wilsona

Marskość wątroby spowodowana glikogenozami przebiega podobnie jak klasyczna marskość zanikowa. Często okazuje się jednak, że nie można wyleczyć zaburzeń przemiany materii, będących przyczyną pojawienia się glikogenozy. Z tego też względu, nawet jeśli glikogenoza zostanie rozpoznana prawidłowo i wystarczająco wcześnie, bardzo trudno zapobiec komplikacji w postaci marskości wątroby.

Marskość przy schorzeniach serca

Różne choroby serca, np. zawał czy zapalenie mięśnia sercowego, prowadzą do osłabienia tego organu (niewydolności). Wskutek tego dochodzi do zastojów krwi w organizmie, między innymi w wątrobie, która się powiększa.

Przyczyna

Jeśli osłabienie serca ma charakter ostry i poddaje się leczeniu, w wątrobie nie powstają żadne trwałe uszkodzenia. Natomiast jeśli osłabienie serca ma charakter przewlekły i nie można go skompensować lekami, ze względu na stały zastój krwi może nastąpić przewlekłe przekrwienie bierne wątroby. W jego wyniku stopniowo giną komórki wątrobowe i zastępowane są tkanką łączną.

Przewlekłe przekrwienie bierne wątroby

Poza bolesnością uciskową w prawym nadbrzuszu, choroba ta powoduje przede wszystkim niebieskawe zabarwienie (sinicę) skóry, widoczne szczególnie na wargach i twarzy, lekką żółtaczkę, która rozpoznawalna jest jedynie po „bieli" oczu, a niekiedy także nabrzmienie śledziony.

Objawy

W dalszym jej przebiegu przez ściany naczyń przenika ciecz i może powstać wodobrzusze.

Marskość wątroby sercowa

W nielicznych przypadkach zdarza się, że przekrwienie bierne wątroby przechodzi w marskość wątroby sercową. Prawdopodobnie jest to jednak możliwe wtedy, gdy uszkodzenie wątroby powstało nie tylko jako następstwo osłabienia serca, ale zostało wywołane również przez inne czynniki.

Leczenie marskości wątroby

Niepomyślne rokowania

Rokowania w przewlekłej marskości wątroby są bardzo niepomyślne. Po rozpoznaniu choroby przewidywana długość życia wynosi jeszcze przeciętnie 4 lata.

Zazwyczaj zbyt późno rozpoznaje się chorobę

Wynika to z faktu, że zazwyczaj zbyt późno rozpoznaje się chorobę, ponieważ ma ona podstępny przebieg i wiele dotkniętych nią osób nie zwraca w odpowiednim czasie uwagi na objawy o nasileniu od lekkiego po umiarkowane. Poza tym nie można cofnąć marskich zmian w wątrobie, nie można więc uzyskać całkowitego wyleczenia.

Nie można już uzyskać wyleczenia

Nie oznacza to jednak, że leczenie ogranicza się tylko do łagodzenia objawów. Wątroba dysponuje ogromnymi rezerwami czynnościowymi i nawet w przypadków większych uszkodzeń może jeszcze do pewnego stopnia przez dłuższy czas spełniać swoje zadania. Chodzi więc o to, by poprzez leczenie przede wszystkim zachować istniejącą jeszcze sprawność czynnościową i tak długo, jak to możliwe, hamować rozwój marskości. Leczenie metodami medycyny naturalnej przynosi tu dobre skutki. Można dzięki niemu w wielu przypadkach wyraźnie wydłużyć przewidywaną długość życia i polepszyć jego jakość.

Trzeba zachować istniejącą jeszcze sprawność czynnościową

Oczywiście, tym skuteczniej może to powstrzymać proces rozwoju marskości, im mniejsza liczba komórek wątroby uległa zmianom chorobowym. Wielkie znaczenie dla rokowania ma więc wczesna, prawidłowo postawiona diagnoza. Następujące, najważniejsze objawy ostrzegające przed przewlekłą marskością wątroby muszą być impulsem do szybkiego poddania się specjalistycznym badaniom:

Ważna jest wczesna diagnoza

Ogólne osłabienie z niejasnego powodu, ze zmniejszoną wydolnością i bólami w prawym nadbrzuszu, dolegliwości żołądkowo-jelitowe, po części też stany depresyjne i zaburzenia seksualne.

Dolegliwości te mogą też mieć inne przyczyny. Wyjaśnienie może dać jedynie specjalistyczna diagnostyka wątroby.

W zasadzie leczenie podtrzymujące w przewlekłej marskości wątroby podobne jest do leczenia zapalenia wątroby. Nieodzownym warunkiem jest znów całkowite powstrzymanie się od spożywania alkoholu. Bez tego żadna terapia nie może być skuteczna.

Ścisła rezygnacja z alkoholu

W przeciwieństwie do dawniej obowiązujących zaleceń dziś dozwolone jest picie *kawy* (mowa o naturalnej kawie ziarnistej), ponieważ jej działanie uszkadzające wątrobę nie zostało dowiedzione w badaniach naukowych. Kawa często łagodnie pobudza oddawanie stolca, co jest korzystne przy większości chorób wątroby. Może być nawet zalecana w marskości wątroby, której często towarzyszy niskie ciśnienie, bo podwyższa ciśnienie krwi, a tym samym polepsza ukrwienie wątroby. Jedynie w marskości wątroby, która powstała na skutek choroby pęcherzyka żółciowego, trzeba zrezygnować z nietolerowanej wówczas kawy. Nie wolno pić kawy zbyt mocnej ani spożywać jej w nadmiarze. Niewskazane jest w żadnym przypadku picie więcej niż dwóch filiżanek kawy dziennie.

Kawa ziarnista jest dozwolona

Czarna herbata jako alternatywa dla kawy naturalnej nie jest zbyt odpowiednia, ponieważ może sprzyjać przewlekłym zaparciom, które często towarzyszą marskości wątroby.

Czarna herbata nie jest zbyt dobra

Jeśli występuje wodobrzusze, należy znacznie ograniczyć *spożycie soli kuchennej*. W przeciwnym razie wydzielanie zgromadzonej w brzuchu cieczy będzie jeszcze bardziej ograniczone. Dzienna porcja pożywienia nie może zawierać soli kuchennej w ilości większej niż 2–4 g. Wystarczająca jest naturalna zawartość soli

Zmniejszyć spożycie soli kuchennej

w produktach żywnościowych, a więc dosalanie potraw nie jest wskazane.

Dieta pełnowartościowa Birchera-Bennera

Długotrwałą dietę powinno się ustalić zgodnie z zasadami pełnowartościowej diety wegetariańskiej dr. Birchera-Bennera. Powinna ona zawierać dużo bogatych w substancje witalne produktów surowych. W ten sposób dostarczy się organizmowi wszystkich substancji odżywczych, witalnych i balastowych, których potrzebuje do właściwego funkcjonowania także wątroba. Ponadto dieta ta jest bodźcem powodującym przestawienie się organizmu, który na tyle, na ile może, aktywuje proces samowyleczenia.

Nie trzeba zwiększać spożycia białka

W marskości wątroby nie jest konieczne zwiększenie spożycia *białka*, jak niekiedy się jeszcze zaleca, ponieważ nie przynosi to terapii żadnej korzyści.

50–60 g tłuszczu dziennie

Również ścisłe ograniczenie spożywania tłuszczu nie na wiele się zdaje. Zgodnie z zasadami określonymi w zdrowej diecie pełnowartościowej, powinno się spożywać 50–60 g tłuszczu dziennie, głównie w postaci roślinnej, nierafinowanej lub w postaci tłuszczów utwardzonych, które zawierają dużo wysokonienasyconych kwasów tłuszczowych. Kwasy tłuszczowe, nazywane także witaminą F, mogą nawet do pewnego stopnia mieć działanie osłaniające wątrobę. Ale także tych tłuszczów nie należy spożywać w nadmiarze, aby nie przeciążać chorego organu. W miarę możliwości należy całkowicie zrezygnować z tłuszczów podgrzewanych.

Kuracja żętycowa

Skuteczne okazało się przeprowadzanie w celu odciążenia wątroby co 1–2 tygodnie 1–2-dniowej kuracji żętycowej. Jeśli marskość jest bardziej zaawansowana, mogą być wskazane, trwające przez 1–2 tygodnie kuracje oparte na serwatce i ziemniakach, według zaleceń specjalisty. Należy wtedy również ograniczyć spożycie białka do 40–50 g na dzień.

Środki homeopatyczne

W ramach długotrwałego leczenia marskości wątroby lekarz przepisuje głównie wskazane w danym przypadku środki homeopatyczne. W zależności od przypadku odpowiednie są między innymi widłak, ostropest plamisty, fosfor i kora z *Quassia amara* w różnych postaciach.

Ostropest plamisty, najważniejszą roślinę w leczeniu wątroby, można też stosować w postaci niehomeopatycznej w ramach fitoterapii. O tym, która z tych dwóch postaci jest bardziej odpowiednia lub czy powinno się je ze sobą łączyć, zawsze decyduje doświadczony terapeuta w zależności od konkretnego przypadku. Może on też przepisać jako terapię uzupełniającą roślinne leki gotowe z gatunków buraka zawierających betainę, składnik oddziałujący na wątrobę.

Ostropest plamisty

Fizjoterapia, tak jak w stłuszczeniu wątroby, obejmuje między innymi kompresy z siana przykładane na okolicę wątroby w celu złagodzenia bólu oraz pobudzenia ukrwienia i czynności tego narządu. Temu samemu celowi mogłyby ewentualnie służyć okłady na lędźwie i okłady częściowe.

Fizjoterapia

Siano można też stosować, zgodnie z przepisem użycia, w postaci gotowych dodatków do kąpieli, które można zakupić w aptece. Wielu chorych na wątrobę źle znosi jednak kąpiel całkowitą i ze względu na to powinni oni 2–4 razy tygodniowo (według zaleceń lekarza) stosować kąpiel nasiadową z dodatkiem siana, tak żeby ciepła woda sięgała aż do okolicy wątroby. Kąpiele nasiadowe mogą też polepszyć ukrwienie jamy brzusznej i przyczynić się do zmniejszenia wodobrzusza.

Siano

W pojedynczych przypadkach medycyna naturalna zaleca jeszcze kilka innych działań leczniczych, które można stosować uzupełniająco. Niekiedy dopiero te dodatkowe środki stwarzają warunki ku temu, by dalsza terapia mogła przynieść właściwy skutek. Zawsze jednak należy pamiętać, że żadnego z nich nie powinno się stosować na własną rękę.

Wspomnijmy tylko jeszcze o *Hematogenic Oxidation Therapy* (w skrócie HOT), opracowanej przez Szwajcara profesora Federico Wehrli. Pobiera się 100 ml krwi pacjenta i dodaje do niej cytrynian sodu, co sprawia, że krew przestaje być krzepliwa i spienia się z tlenem. Tak wzbogacona w tlen krew przepływa obok lampy nadfioletowej zimnej. Powstaje przy tym „tlen singletowy", szczególny rodzaj tlenu, który sprawia, że poprawie ulega oddawanie tlenu komórkom przez krwinki czerwone

Hematogenic Oxidation Therapy

Tlen singletowy

71

oraz właściwości przepływu krwi. Wątroba ze zmianami marskimi jest lepiej zaopatrywana w tlen i dzięki temu może dłużej zachować część swojej sprawności czynnościowej. HOT okazała się skuteczna głównie w marskości wątroby spowodowanej nadużywaniem alkoholu i w stłuszczeniu wątroby. Nie można oczekiwać, że w jej wyniku nastąpi wyleczenie, ale często możliwe jest uzyskanie wyraźnej poprawy na dłuższy czas i zahamowanie rozwoju marskości.

Wstępnie, w zależności od stopnie ciężkości uszkodzenia wątroby, przeprowadza się serię 6–10 pojedynczych zabiegów w odstępach 4–10-dniowych. Później powtarza się, w zależności od potrzeb i zaleceń lekarskich, krótkie serie 3–5 zabiegów, aby „odświeżyć" działanie tej terapii.

Rak wątroby

Wśród przypadków chorobowych występujących pod tą nazwą rozróżnia się rzadką u nas postać pierwotną i częściej występujący rak wątroby wtórny (przerzutowy). Choroba ta dotyka przeważnie starszych mężczyzn.

Dotyka przeważnie mężczyzn

Ze względu na to, że w wielu przypadkach raka poprzedza marskość wątroby, można ją zasadniczo traktować jako stadium przedrakowe.

Rak wątroby pierwotny

Rozwija się bezpośrednio w wątrobie

Rak wątroby pierwotny rozwija się bezpośrednio w wątrobie, a nie jako następstwo innej choroby nowotworowej. Na naszych szerokościach geograficznych występuje rzadko, natomiast częściej obserwuje się tę postać w Afryce.

Można to wytłumaczyć głównie tym, że z biedy ludność ubogich państw afrykańskich często spożywa spleśniałe zboże. Pleśnie produkują trucizny, które podejrzewa się o to, że prowadzą do raka wątroby (ale również do innych chorób nowotworowych).

Jeśli występuje u nas rak wątroby pierwotny, to przeważnie na podłożu marskości wątroby, rzadziej jest wynikiem przewlekłego zapalenia wątroby. Niekiedy jeszcze pewną rolę mogą odgrywać trucizny pleśni, jeśli konsumenci są tak nierozsądni, że spożywają spleśniałe środki spożywcze.

Uwaga na spleśniałe artykuły spożywcze

Ponadto występuje pewna relacja między nadużywaniem alkoholu i rakiem wątroby pierwotnym, ale związek ten nie jest jeszcze dostatecznie wyjaśniony. Na podstawie badań naukowych ustalono następujące fakty:

- Osoby nałogowo pijące duże ilości wódki i podobnych wysokoprocentowych napojów alkoholowych są 10-krotnie bardziej narażone na to, że zachorują na raka wątroby niż abstynenci.

10-krotnie wyższe ryzyko wśród osób pijących wódkę

- Osoby pijące piwo i wino są 2-krotnie bardziej narażone na raka wątroby niż abstynenci. Nie dotyczy to jednak przygodnego, umiarkowanego spożycia alkoholu, lecz regularnego obfitego picia piwa i/lub wina.

Podwójne ryzyko u osób pijących piwo i wino

> Związek między alkoholem i rakiem wątroby jest jeszcze tak niejasny, że można tylko zalecić, żeby całkowicie zrezygnować ze skoncentrowanych napojów alkoholowych, a piwo i wino spożywać w umiarkowanych ilościach i nie każdego dnia. Jeśli raz przy specjalnej okazji ktoś sobie „pofolguje", oczywiście nie prowadzi to od razu do raka wątroby, ale muszą to być sytuacje wyjątkowe.

Wydaje się, że nie sam alkohol tak wyraźnie podwyższa ryzyko raka wątroby, a raczej chodzi o to, że napoje alkoholowe zawierają na ogół substancje podejrzewane są o to, że wywołują raka. Na przykład piwo zawiera nitroaminy, a sherry, wermut i whisky między innymi pewne węglowodory i włókna azbestowe. Zanieczyszczenia te prawdopodobnie przyczyniają się do podwyższenia ryzyka wystąpienia raka wątroby. Abstrahując od tego, przyjmuje się, że napoje alkoholowe tylko wtedy mogą wywołać raka wątroby, gdy już występuje marskość.

Zanieczyszczenia w napojach alkoholowych podwyższają ryzyko raka

Niedobór substancji
witalnych i alkohol
sprzyjają rakowi wątroby

Są też wskazówki sugerujące, że rakowi wątroby może sprzyjać nadużywanie alkoholu powiązane z chronicznie nieprawidłowym odżywianiem, charakteryzującym się niedoborem substancji witalnych. Ale ten związek również nie jest jeszcze wyjaśniony wystarczająco pewnie. Z doświadczenia wynika, że ludzie notorycznie nadużywający alkoholu nie zwracają uwagi na właściwe odżywianie, a więc jest całkiem możliwe, że wątroba staje się w takim przypadku bardziej wrażliwa na alkohol.

Produkty zawierające
wiele substancji
witalnych na stany
niedoboru

Jeśli więc, mimo wyraźnych zaleceń lekarskich, nie chce się zaprzestać regularnego, obfitego picia alkoholu, należy przynajmniej zapewnić sobie pożywienie bogate w różnorodne składniki odżywcze. W razie potrzeby, żeby zapobiec różnym stanom niedoboru, można też zażywać zakupione w aptece lub sklepach zielarskich preparaty witaminowe uzupełnione mikroelementami.

Rak wątroby wtórny (przerzutowy)

Zdecydowana większość przypadków raka wątroby powstaje wtórnie. Oznacza to, że choroba nowotworowa najpierw rozwija się w innym narządzie organizmu, a komórki potomne dostają się do wątroby i tworzą tam przerzuty.

Takie przerzuty do wątroby występują w przebiegu raka dość często, ponieważ filtrująca krew wątroba jako pierwsza wyłapuje komórki potomne, które rozsiewane są do krwiobiegu przez guzy utworzone w innych częściach ciała.

Przerzuty do wątroby

Najczęściej przerzuty do wątroby powstają w przypadku choroby nowotworowej sąsiednich narządów, także przyłączonych do układu żyły wrotnej, a więc głównie w przypadku raka żołądka, jelita i trzustki. Nawet bardzo małe guzy pierwotne w tych narządach, niepowodujące jeszcze żadnych objawów, mogą rozsiewać komórki potomne do wątroby i wywołać wtórnego raka tego narządu. Nie musi jednak koniecznie do tego

Najczęściej w przypadku
chorób nowotworowych
sąsiednich narządów

dojść, ponieważ własne siły odpornościowe organizmu zasadniczo są w stanie zniszczyć takie komórki potomne. Dopiero gdy odporność jest osłabiona i/lub wątroba wcześniej została uszkodzona, komórki potomne mają szansę doprowadzić do raka wtórnego w wątrobie.

Ze względu na bliskie anatomiczne sąsiedztwo wątroby i pęcherzyka żółciowego do przerzutów do wątroby często prowadzi rak w układzie żółciowym. Także nowotwory oskrzeli i rak piersi rozsiewają do wątroby komórki potomne. Nowotwory rozwijające się w innych regionach ciała również mogą powodować wtórnego raka wątroby.

Do przerzutów do wątroby prowadzi również rak pęcherzyka żółciowego

Najlepszym sposobem uniknięcia raka wątroby, będącego następstwem innej choroby nowotworowej, jest usunięcie nowotworu pierwotnego, zanim będzie w stanie rozsiewać komórki potomne.

Należy w odpowiednim czasie usunąć raka pierwotnego

Warunkiem jakiegokolwiek skutecznego postępowania jest rozpoznanie raka w odpowiednim czasie oraz szeroko zakrojone leczenie, obejmujące również terapię metodami medycyny naturalnej, która przede wszystkim pobudzi do działania przeciw komórkom rakowym odporność organizmu. Wówczas organizm może zniszczyć komórki potomne własnymi siłami, zanim będą w stanie „przyjąć się" w wątrobie i spowodować raka wtórnego.

Zaktywować własną odporność organizmu przeciw komórkom rakowym

Objawy ostrzegające przed rakiem wątroby

Odnosząca się do większości chorób nowotworowych zasada, że rak w początkowym stadium nie powoduje żadnych jednoznacznych objawów, dotyczy również raka wątroby. Jeśli występują jakieś niejasne dolegliwości, nie są zwykle na tyle poważnie traktowane, żeby szybko poddać się badaniom.

W początkowym stadium brak jednoznacznych objawów

Znacznie opóźnione rozpoznanie i leczenie są jednym z powodów niepomyślnego rokowania w przypadku raka. Wprawdzie zasadniczo nie można wykluczyć wyzdrowienia, zwłaszcza w przypadku leczenia holistycznego, które nie ogranicza się do środków stosowanych przez medycynę akademicką, ale przewidywana długość życia po rozpoznaniu raka wątroby wynosi tylko 6–12 miesięcy.

Przewidywana długość życia wynosi 6-12 miesięcy

Ważne objawy ostrzegawcze

Za istotne objawy ostrzegawcze, których wystąpienie może wskazywać na raka wątroby, uznaje się przede wszystkim:

* Niejasne uczucie osłabienia, które stopniowo się nasila; ten objaw ogólny występuje przy raku wątroby praktycznie zawsze.

* Niewytłumaczalny ubytek ciężaru aż do wychudnięcia; ważny możliwy objaw ostrzegawczy w większości chorób nowotworowych.

* Najpierw umiarkowane, stopniowo coraz silniejsze, ale właściwie niebolesne uczucie ucisku pod prawym łukiem żebrowym. Z doświadczenia wiadomo, że staje się ono powodem tego, że wielu chorych obmacuje okolicę wątroby i gdy wyczuwa tam twardy guz, w końcu udaje się na badania.

* Ogólne zaburzenia trawienia, jak brak apetytu, nudności, pobudzenie do wymiotów, niekiedy też wymioty.

Nawet jeśli występują tylko niektóre z tych objawów opisanych wyżej, należy szybko poddać się badaniom. Wprawdzie często takie symptomy mogą być wywołane innymi przyczynami, ale zwłaszcza u mężczyzn po przekroczeniu 45 roku życia wstępnie można podejrzewać raka wątroby.

Rozpoznanie laboratoryjne

W specjalistycznym rozpoznaniu laboratoryjnym stwierdza się zazwyczaj podwyższone OB, niedokrwistość i zbyt wysoką zawartość bilirubiny w krwi. Ostateczna diagnoza stawiana jest po dokonaniu obserwacji wątroby wprowadzonym do jamy brzusznej endoskopem i rozpoznaniu guza wątroby. W celu ustalenia, czy jest to nowotwór łagodny czy złośliwy, pobierana jest przy tym próbka tkanki. W badaniach mikroskopowych można jednoznacznie rozpoznać zwyrodniałe rakowo komórki wątrobowe.

Holistyczne leczenie raka

Często nie jest już możliwe leczenie chirurgiczne raka wątroby, które też słabo rokuje. Zasadniczo nie powinno się jednak rezygnować z operacyjnego usunięcia guza, bo może to stwarzać szansę prowadzenia jeszcze przez jakiś czas innego sposobu leczenia, w wyniku którego nastąpi poprawa stanu zdrowia, a niekiedy nawet wyleczenie.

Leczenie chirurgiczne słabo rokuje

Ocenia się, że szanse na powodzenie leczenia środkami hamującymi wzrost komórek (cytostatykami) są jeszcze mniejsze niż w przypadku leczenia operacyjnego. Z doświadczenia wiadomo, że w raku wątroby są one niemal całkowicie nieskuteczne, z reguły mają poważne działania uboczne, które niepotrzebnie obciążają pacjenta. Z tego powodu lepiej zrezygnować z tych leków (decyzję zawsze musi podjąć specjalista), szczególnie że znacznie osłabiają własną odporność organizmu skierowaną przeciw rakowi.

Cytostatyki są niemal całkowicie nieskuteczne, a mają poważne działania uboczne

Także ostatni instrument medycyny akademickiej w walce z rakiem – radioterapia – w dłuższej perspektywie czasu jest na ogół mało skuteczny. Nie powinno się więc bez potrzeby narażać pacjenta na znaczne, związane z tą metodą działania uboczne, które mogą spowodować całkowite załamanie odporności organizmu.

Radioterapia niewiele pomaga

Być może są pojedyncze przypadki, w których także lekarz zwolennik medycyny naturalnej pomimo całego ryzyka zaaprobuje próbę z radioterapią, ale są to sytuacje wyjątkowe.

Po oficjalnej medycynie nie można się więc zbyt wiele spodziewać, jeśli chodzi o leczenie raka wątroby. Tym ważniejsza staje się próba terapii raka metodami medycyny holistyczno-naturalnej.

Nie można się wiele spodziewać po oficjalnej medycynie w raku wątroby

Nie obiecuje ona całkowitego wyzdrowienia (pomimo że nie można tego z góry wykluczyć), często udaje się jednak uzyskać przynajmniej złagodzenie objawów, a bez ryzyka poważnych następstw ubocznych można, niekiedy nawet na dłuższy czas, zahamować wzrost nowotworu lub nawet doprowadzić do jego częściowego cofnięcia się.

Dzięki medycynie naturalnej uzyskuje się przynajmniej złagodzenie objawów

Wprawdzie nie może tego obiecać żaden lekarz, ale w przypadku leczenia raka metodami medycyny naturalnej nadzieja jest bardziej uzasadniona niż w leczeniu środkami medycyny akademickiej.

Bardziej szczegółowe przedstawienie metod medycyny naturalnej w leczeniu raka wykraczałoby poza ramy tej książki. I tak musi ono być zawsze zalecane indywidualnie przez doświadczonego terapeutę. W przeciwieństwie do medycyny oficjalnej, która rozumie raka jako chorobę miejscową, przyrodolecznictwo tłumaczy powstanie tego schorzenia przede wszystkim jako skutek ogólnego zaburzenia, które istnieje na długo przed tym, zanim nowotwór zacznie się rozrastać.

Leczenie raka metodami medycyny naturalnej musi być indywidualnie zalecone przez lekarza

> Według tego poglądu, w przypadku raka zawsze zaburzone są normalne procesy przemiany materii w komórkach i własna odporność organizmu. Dopiero w takiej sytuacji może się – z punktu widzenia medycyny naturalnej – w ogóle rozwinąć nowotwór miejscowy.

Negatywne czynniki psychiczne osłabiają odporność

Do tego dochodzą często jeszcze negatywne czynniki psychiczne, przede wszystkim problemy z radzeniem sobie z uczuciami, których przyczyny mogą sięgać do najwcześniejszych lat dziecięcych, oraz stany zwątpienia i osamotnienia.

Prawdopodobnie czynniki psychiczne do tego stopnia osłabiają odporność, że organizm nie jest w stanie szybko unicestwić zawsze istniejących w nim – według obecnych poglądów – zwyrodniałych komórek.

Odpowiednio do różnego rodzaju wyobrażeń na temat rozwoju raka metody leczenia medycyny naturalnej nie kładą głównego nacisku na usunięcie lub zniszczenie zwyrodniałej tkanki. Przyrodolecznictwo próbuje w pierwszym rzędzie znormalizować zaburzoną przemianę materii w komórkach, uaktywnić odporność organizmu przeciw komórkom rakowym i w nie mniejszym stopniu wyeliminować przyczyny raka natury psychicznej. Można to osiągnąć, korzystając z różnych

Przyrodolecznictwo próbuje w pierwszym rzędzie znormalizować zaburzoną przemianę materii w komórkach i uaktywnić odporność organizmu

procedur leczniczych, które w praktyce okazały się skuteczne.

Dieta odgrywa szczególnie ważną rolę jako metoda leczenia zasadniczego wszystkich chorób nowotworowych.

W przypadku raka wątroby obowiązują nie tylko podstawowe reguły diety wątrobowej oszczędzającej, wymienione już we fragmencie tekstu na temat stłuszczenia i marskości wątroby. Dieta musi ponadto umożliwić przywrócenie do normalnego stanu zaburzonych czynności przemiany materii, zwiększyć wydalanie niestrawionych resztek pokarmowych, które powodują blokowanie czynności obronnej, a także dostarczyć organizmowi obfitości różnych substancji witalnych, które częściowo (przede wszystkim witamina A i C) mają też działanie przeciwrakowe.

Początkowo wskazane może być na przykład leczenie ścisłą dietą jarską, uzupełnioną zakwaszonymi przetworami mlecznymi (kwas pochodzący z produktów mlecznych ma korzystny wpływ na zaburzoną przemianę materii w komórce). Ścisłe przestrzeganie tych zaleceń nierzadko doprowadza do wyraźnej poprawy stanu zdrowia.

Później przechodzi się do pełnowartościowego odżywiania wegetariańskiego z dużą ilością surowych artykułów żywnościowych, które poprzez działanie oczyszczające i podwyższające odporność mogą trwale znormalizować przemianę materii. Duże znaczenie mają gotowe leki z czerwonych buraków, bardzo korzystnie oddziałujące na przemianę materii w komórkach.

Diety trzeba przestrzegać aż do wyleczenia raka wątroby, a w przypadku nieuleczalnego raka do końca życia. Stanowi ona podstawowy warunek optymalnego działania innych środków i procedur leczniczych.

Podwyższenie odporności powinno spowodować przede wszystkim zwiększenie się liczby pewnej formy białych krwinek (limfocytów). Te komórki obronne określa się też jako krwinki białe o działaniu cytotoksycznym, ponieważ mogą niszczyć obce dla ustroju białka (a więc również komórki rakowe).

Pomnożenie tych składników krwi osiąga się na przykład dzięki wstrzykiwaniu lub zażywaniu wyciągu z grasicy, który umożliwia wyraźne pobudzenie regulacji

---

Dieta odgrywa ważną rolę

Ścisła dieta jarska wyraźnie poprawia stan zdrowia

Dieta pełnowartościowa zawierająca duże ilości produktów spożywczych surowych

Czerwone buraki

Podwyższenie odporności powinno spowodować zwiększenie się liczby krwinek białych

obronnej i samoleczenia. Ale również jeżówka oraz indywidualnie dobrane homeopatyczne substancje czynne skutecznie pobudzają siły obronne organizmu przeciw rakowi wątroby.

W leczeniu raka metodami medycyny naturalnej często stosuje się *preparaty z jemioły pospolitej*. Po pierwsze oddziałują one jako naturalne substancje hamujące wzrost komórek, po drugie podwyższają odporność przeciw komórkom rakowym. Iniekcje preparatów z jemioły uważane są za najskuteczniejszą broń przyrodoleczniczą w walce z rakiem. W przeciwieństwie do cytostatyków używanych przez medycynę akademicką pacjenci zazwyczaj dobrze je tolerują, a na pewno nie są narażeni na żadne poważne działania uboczne. W zależności od przebiegu leczenia lekarz może stosować zastrzyki w leczeniu długotrwałym lub jako leczenie okresowe prowadzone z przerwami różnej długości.

Równie skuteczne okazuje się w chorobach nowotworowych, jako leczenie uzupełniające, *leczenie enzymami*. Enzymy mogą atakować białko komórek rakowych i przede wszystkim usuwać „sieć maskującą", za pomocą której zwyrodniałe komórki chronią się przed przeciwciałami organizmu. Dzięki temu poprawia się działanie własnych przeciwciał organizmu w walce z komórkami rakowymi.

Wskazane również jest *leczenie komórkowe*, które pobudza procesy samowyleczenia i regeneracji. Szczególnie zalecane są preparaty homeopatyczne z tkanki wątrobowej, które mogą zapoczątkować selektywną reakcję zdrowienia. Niekiedy za pomocą tej metody uzyskuje się zdumiewającą poprawę.

Te i inne naturalne metody lecznicze, którymi nie możemy się tu zająć, stwarzają zazwyczaj większe szanse na uzdrowienie niż leczenie raka metodami medycyny akademickiej.

Preparaty z jemioły pospolitej mają działanie hamujące wzrost komórek

Leczenie enzymami okazuje się skuteczne

Leczenie komórkowe w celu pobudzenia sił samowyleczenia

Jeśli dzięki medycynie naturalnej uda się wydłużyć czas życia, a przede wszystkim polepszyć jego jakość, w przypadku raka wątroby można to uznać za duży sukces.

Część terapii musi być prowadzona według specjalistycznych zaleceń do końca życia, aby zapobiec szybkim nawrotom.

Poza leczeniem ciała dużą rolę w leczeniu raka odgrywa też *opieka psychologiczna*. Strach, zwątpienie i dręczący ból osłabiają siły samozachowawcze w równej mierze, co częste osamotnienie osób chorych na raka, które nierzadko są pozostawione na łasce losu przez środowisko, wiedzione błędną obawą przed tą chorobą. Doświadczenia z towarzyszącym, psychologicznym leczeniem raka dowodzą, że dzięki niemu często udaje się dwukrotnie wydłużyć czas przeżycia.

Dużą rolę odgrywa opieka psychologiczna

Z tego powodu całościowe leczenie raka koniecznie musi obejmować dobre prowadzenie psychologiczne, dostosowane zawsze do indywidualnego przypadku i łączące w sobie kilka metod psychoterapii.

Bardzo ważne jest dobre prowadzenie psychologiczne

Szczególnie pożądane okazały się grupy samopomocy chorych na raka, które praktycznie istnieją dziś w każdej większej miejscowości. W grupie pacjenci chorzy na raka mogą wspólnie przezwyciężać problemy psychiczne związane z chorobą, znajdują wewnętrzne oparcie, zrozumienie i poczucie bezpieczeństwa. Niekiedy pomaga to bardziej niż najlepsza opieka medyczna.

Śpiączka wątrobowa – stadium końcowe wielu schorzeń wątroby

Najcięższą postacią osłabienia czynności wątroby jest śpiączka wątrobowa. Prawie zawsze występuje ona w stadium końcowym innych schorzeń wątroby, o ile jednak stadium końcowe nie zawsze oznacza zgon pacjenta, o tyle śpiączka wątrobowa często kończy się śmiercią.

Często występuje w stadium końcowym innych schorzeń wątroby

W zależności od przyczyn rozróżnia się dwie następujące jej postacie:

• *Śpiączka wątrobowa endogenna* (wewnątrzpochodna) spowodowana zniszczeniem komórek wątrobowych występuje przede wszystkim w ciężkich zatruciach i chorobach zakaźnych jako skutek ostrej marskości wątroby.

Śpiączka wątrobowa endogenna

81

Śpiączka wątrobowa
egzogenna

• *Śpiączka wątrobowa egzogenna* (mająca zewnętrzne przyczyny) jest często stadium końcowym innych schorzeń wątroby (przede wszystkim marskości), które rozwijały się już przez dłuższy czas. Jeśli w takich warunkach dojdzie do dodatkowego uszkodzenia spowodowanego na przykład schorzeniami innych narządów, wówczas trujące substancje dostaną się, z pominięciem już ciężko chorej wątroby, bezpośrednio do mózgu i wywołają śpiączkę.

Śpiączka wątrobowa
rzekoma

Znana też jest specjalna postać – *śpiączka wątrobowa rzekoma (mineralna)*. Rozwija się ona wskutek niedoboru substancji mineralnych (przede wszystkim potasu), głównie podczas przyjmowania leków odwadniających na wodobrzusze. Do śpiączki mineralnej może jednak dojść tylko w takim przypadku, gdy już wcześniej nastąpiło uszkodzenie wątroby.

Objawy

Zazwyczaj śpiączka wątrobowa rozpoczyna się podstępnie, daje niejasne objawy i wówczas nie jest od razu rozpoznawana. Symptomatyczne dla stadium I są nieznaczne zaburzenia świadomości z ospałością, niepokój i drżenie. Często równocześnie występuje też wodobrzusze.

Jeśli stan ten się utrzymuje dłużej dochodzi do silniejszych zaburzeń świadomości i pogłębia się drżenie (stadium II).

W ostatnim stadium (III) następuje całkowita utrata świadomości, oddech staje się nienormalnie powolny i pogłębiony, wydychane powietrze ma wyraźny zapach wątroby.

Inne objawy to zauważalnie powiększona wątroba, przyśpieszone tętno i obniżające się ciśnienie krwi. Ponadto w diagnostycznych badaniach laboratoryjnych można wykazać rosnące osłabienie czynności wątroby.

Śpiączka wątrobowa
często kończy się
zgonem

Śpiączka wątrobowa musi być natychmiast leczona w szpitalu. Pomimo intensywnej terapii często kończy się zgonem. Jeśli przeżyje się ten stan, często pozostaje na wątrobie bliznowata marskość z wykształconymi grubymi guzami. W obserwacji endoskopowej wątroba przypomina swym wyglądem ziemniak. Na skutek bliznowacenia dochodzi do zwężenia żyły wrotnej z przekrwieniem biernym wątroby i nadciśnieniem w układzie żyły wrotnej.

Choroby pęcherzyka żółciowego

Chorób pęcherzyka żółciowego nie można rozpatrywać w zupełnym oderwaniu od schorzeń wątroby. Wątroba i pęcherzyk żółciowy tworzą bowiem jednostkę czynnościową, a więc choroby jednego narządu mogą objąć drugi narząd. Dotyczy to szczególnie przypadku, gdy są to choroby przewlekłe. Oczywiście, istnieje też wiele schorzeń pęcherzyka żółciowego, powstających niezależnie od chorób wątroby i nieupośledzających jej czynności.

Prawie zawsze choroby pęcherzyka żółciowego negatywnie odbijają się na czynnościach trawiennych w ogóle, ponieważ żółć jest niezbędna w procesie trawienia. Poza tym wskutek schorzeń dróg żółciowych może dojść do zaburzeń innych funkcji ustrojowych, między innymi oczyszczania, które odbywa się wraz z wydzielaniem żółci, oraz regulacji układu odpornościowego organizmu. Regulacja ta ze względu na ognisko chorobowe, które stanowi np. przewlekle ropiejący pęcherzyk żółciowy, może znacznie osłabnąć, co oznacza osłabienie sił obronnych organizmu, który będzie bardziej podatny na wszelkiego rodzaju choroby.

Nie wolno więc nigdy uważać schorzeń dróg żółciowych za izolowane procesy chorobowe i leczyć ich jednostronnie metodami medycyny akademickiej, lecz należy zajmować się nimi całościowo w sensie medycyny naturalnej. W każdym przypadku jednak konieczna jest opieka lekarska. Sam pacjent też może dzięki odpowiedniemu postępowaniu przyczynić się do wyzdrowienia, przede wszystkim powinien przestrzegać koniecznej diety.

Główne przyczyny wielu schorzeń dróg żółciowych

Poszczególne choroby układu żółciowego mają różne przyczyny. Zostaną one szczegółowo przedstawione w odpowiednich rozdziałach. Istnieje jednakże kilka przyczyn głównych, które stwarzają warunki do rozwoju wielu schorzeń dróg żółciowych.

Podkreślić należy najpierw skłonność płciową, czyli szczególne predyspozycje jednej płci do chorób układu żółciowego. Te predyspozycje powodują, że kobiety 2–6 razy częściej niż mężczyźni zapadają na schorzenia dróg żółciowych.

Zachorowalność kobiet na schorzenia dróg żółciowych jest 2–6 razy wyższa

Nie udało się jeszcze ostatecznie wyjaśnić, jakimi szczególnymi cechami kobiecego organizmu spowodowana jest ta podatność na choroby układu żółciowego. Przypuszczalnie główną rolę odgrywają różnice hormonalne między kobietą i mężczyzną, lecz nie wiadomo jeszcze dokładnie, na jakiej zasadzie się to odbywa.

Do tego muszą jednak jeszcze dojść czynniki indywidualne, bo przecież nie wszystkie kobiety cierpią na ten rodzaj chorób. Przeważnie schorzenia dróg żółciowych dotyczą kobiet, które urodziły kilkoro dzieci i/lub są w okresie przekwitania. Wydaje się więc, że hormonalne zmiany związane z ciążą i klimakterium podwyższają już i tak wysokie ryzyko zachorowania u kobiet.

Indywidualne czynniki hormonalne

Z pewnością jednak żadna kobieta nie cierpi na chorobę układu żółciowego tylko ze względu na swoją płeć. Zanim pojawi się schorzenie dróg żółciowych, muszą pojawić się jeszcze inne czynniki. Według dzisiejszego stanu wiedzy należą do nich przede wszystkim nadwaga, cukrzyca (często występują wspólnie) i niekiedy zwapnienie tętnic. Dyskutuje się ponadto, czy występuje skłonność dziedziczna do schorzeń dróg żółciowych. Przemawia za tym fakt, że choroby te występują częściej wśród członków tej samej rodziny. Nie można jednak z tego tak po prostu wnioskować, że już same predyspozycje dziedziczne prowadzą do chorób układu żółciowego. Bardzo prawdopodobne jest, że również tu (podobnie

Innymi czynnikami są nadwaga, cukrzyca i zwapnienie tętnic

Dyskutuje się nad usposobieniem dziedzicznym

jak w skłonności związanej z płcią) predyspozycja jedynie podwyższa ryzyko wystąpienia choroby, ale muszą jeszcze zaistnieć inne czynniki, żeby rzeczywiście rozwinęło się schorzenie dróg żółciowych.

Wydaje się, że wiek też odgrywa rolę

Wydaje się wreszcie, że pewną rolę odgrywa też wiek, ponieważ choroby pęcherzyka żółciowego i dróg żółciowych pojawiają się przeważnie w wieku od średniego po starszy. Nie udało się dotychczas dogłębnie wyjaśnić, jakie uwarunkowane wiekiem zmiany są za to odpowiedzialne.

Ryzyko związane z odżywianiem

Niezależnie od wieku, płci i predyspozycji dziedzicznych, czynnikiem sprzyjającym chorobom dróg żółciowych jest nieprawidłowe odżywianie, powszechne dziś w zachodnich krajach uprzemysłowionych. Uważa się, że ryzyko związane z odżywianiem polega głównie na spożywaniu zbyt obfitych i tłustych posiłków, stanowiących nadmierne obciążenie dla układu żółciowego.

Zbyt obfite spożywanie tłuszczu może znacznie podwyższyć ryzyko choroby

Ryzyko choroby może ulec znacznemu podwyższeniu wskutek powszechnego, zbyt obfitego dostarczania tłuszczów, ponieważ żółć jest niezbędna w ich trawieniu. Ale również tych zależności nie można dziś wyjaśnić definitywnie. W zasadzie można tylko stwierdzić:

> Każdy sposób odżywiania prowadzący do nadwagi podwyższa równocześnie ryzyko zachorowania na schorzenia dróg żółciowych. Poza tłuszczem za czynnik ryzyka należy też uważać przetworzone węglowodany (cukier, słodycze, produkty z białej mąki), które organizm może przekształcić w tłuszcz rezerwowy.

Związek między życiem psychicznym i układem żółciowym nie jest jeszcze zbadany

W dużej mierze nie został jeszcze zbadany związek między życiem psychicznym i układem żółciowym. Prawdopodobnie nie znajdzie się jakiegoś specjalnego typu osobowości, który szczególnie często zapada na schorzenia dróg żółciowych – byłoby to zbyt duże uproszczenie. Wiadomo jednak z doświadczenia, że niektóre zachowania mogą przyczynić się do rozwoju chorób układu żółciowego. Wszystkie one są mniej lub bardziej wyraźnie związane z agresywnością, wściekłością, gniewem i zgorzknie-niem, których pacjenci nie przezwyciężyli i nie odre-agowali. W przeciwieństwie do medycyny akademic-kiej, która za mało o to się troszczy, w tradycji ludowej takie związki są znane od dawna. Wyraźnie widać to w następujących sentencjach: kogoś „żółć zalewa" oraz "pożółkł ze złości", „człowiek bez żółci", „zionąć żółcią, „wzbierała w nim żółć".

Ponadto ludziom łatwo unoszącym się gniewem od starożytności przypisuje się „temperament choleryczny" (chole = żółć). Jest to też dobry przykład na to, jak intuicyjnie poprawnie uchwycono związki psychiczno--cielesne w schorzeniach dróg żółciowych.

Cholerycy

Na razie nie można jeszcze precyzyjniej opisać uwarunkowań psychicznych, przy których częściej występują schorzenia dróg żółciowych. Konieczne są dalsze badania natury psychosomatycznej tych cho-rób. Muszą one sprawdzić, w jakim stopniu czynniki psychiczne przyczyniają się do powstania niedomagań układu żółciowego, czy występują one tylko w niewiel-kiej grupie pacjentów, czy u większości oraz czy mogą same powodować schorzenia dróg żółciowych, czy dopiero przy równoczesnym zaistnieniu różnych innych czynników. (Przypuszczalnie układ żółciowy musi być już wcześniej uszkodzony, aby czynniki psychiczne mogły spowodować chorobę.)

Brak precyzyjnego opisu warunków psychicznych schorzeń dróg żółciowych.

Najczęstsze choroby dróg żółciowych

Najbardziej rozpowszechnione choroby układu żółcio-wego to ostre i przewlekłe zapalenia, piasek żółciowy i kamienie żółciowe. Rak pęcherzyka żółciowego nie występuje zbyt często, ale zwykle rozwija się na bazie przewlekłego zapalenia pęcherzyka lub nieusuniętych kamieni żółciowych. Z tego powodu przewlekłe zapale-nia w układzie żółciowym i kamienie żółciowe uważa się

Przewlekłe zapalenia w układzie żółciowym i kamienie żółciowe uważane są za choroby przedrakowe za choroby przedrakowe. Nie oznacza to, że zawsze rozwija się z nich rak, ale ryzyko jest znacznie podwyższone. Jak już wspomniano, wszystkie te choroby występują u kobiet 2–6 razy częściej niż u mężczyzn.

Częściej u kobiet niż u mężczyzn

Zapalenie pęcherzyka żółciowego

Zapaleniu pęcherzyka żółciowego towarzyszy zazwyczaj zapalenie dróg żółciowych

Zapaleniu pęcherzyka żółciowego towarzyszy zazwyczaj zapalenie dróg żółciowych. Rozróżnia się ostrą i przewlekłą formę przebiegu choroby. Tej ostatniej u części pacjentów nie da się wyleczyć. Wówczas ze względu na ryzyko raka wskazane jest często wczesne usunięcie chirurgiczne pęcherzyka żółciowego. Człowiek może żyć bez tego narządu, żółć przedostaje się wtedy bezpośrednio z wątroby do dwunastnicy. Po usunięciu pęcherzyka żółciowego mogą pojawić się jednak zaburzenia trawienia.

Człowiek może też żyć bez pęcherzyka żółciowego

Przyczyny zapalenia

Zazwyczaj gwałtowne dolegliwości

Ostre zapalenie pęcherzyka żółciowego zaczyna się z reguły nagle, gwałtownymi bólami. W większości przypadków jego przyczyną są kamienie żółciowe, utrudniające odpływ żółci i uszkadzające mechanicznie błonę śluzową pęcherzyka żółciowego. Niekiedy wystąpienie stanów zapalnych poprzedzone jest raną brzucha, operacją w jamie brzusznej, ciężkim „zatruciem krwi" (posocznicą) lub inną chorobą (np. ciężkim zapaleniem migdałków, zatok przynosowych lub zapaleniem płuc).

Guzy mogą utrudnić odpływ żółci

Niekiedy odpływ żółci utrudniony jest ze względu na guzy lub zwężenia i blizny w drogach żółciowych. Składniki spiętrzonej żółci uszkadzają wówczas chemicznie błonę śluzową pęcherzyka żółciowego, która reaguje zapaleniem.

Spiętrzenie soków trawiennych z trzustki

Kolejną przyczyną ostrego zapalenia pęcherzyka żółciowego może być spiętrzenie soków trawiennych pochodzących z trzustki. Mogą one wznieść się aż do

wysokości pęcherzyka żółciowego, ponieważ przewody
wyprowadzające pęcherzyka żółciowego i trzustki mają
swe ujście w dwunastnicy.

Wreszcie jako przyczyny zapalenia pęcherzyka żółciowego wymienić można jeszcze reakcje alergiczne.
Nadwrażliwość może dotyczyć różnych substancji,
z którymi styka się człowiek, jest to sprawa bardzo in-
dywidualna. Reakcje alergiczne skutkujące zapaleniem
pęcherzyka żółciowego prowokowane są między innymi
przez produkty spożywcze. Należy jednak nadmienić,
że alergie z udziałem układu żółciowego występują
niezbyt często.

Reakcje alergiczne

W przebiegu początkowo niezakaźnego zapalenia
pęcherzyka żółciowego wywołanego jedną z wymienionych wyżej przyczyn pojawiają się dodatkowo
zakażenia bakteryjne. Przede wszystkim chodzi tu
o zarazki, na przykład paciorkowce, które wywołują
ropienie. Ponadto do pęcherzyka żółciowego mogą
dostać się inne bakterie z jelita. Wyróżnia się trzy typy
zakażeń, które mogą spowodować zapalenie pęcherzyka żółciowego:

Często dodatkowo
zakażenia bakteryjne

Do zakażeń dochodzi w następujący sposób:
- *Zakażenie krwiopochodne* szerzące się przez krew,
jeśli znajdują się w niej zarazki innych chorób zakaźnych. Dostają się one przez najmniejsze naczyńka
krwionośne (włośniczki) w ścianie pęcherzyka żółciowego do jego środka.

Zakażenie
krwiopochodne

- *Zakażenie wstępujące*, w którym bakterie przenikają
z jelita do pęcherzyka żółciowego przez ujście dróg
żółciowych w dwunastnicy i dalej przez przewody
żółciowe.

Zakażenie wstępujące

- *Zakażenie zstępujące*, gdy zarazki przenikają drogami żółciowymi z chorej wątroby do pęcherzyka
żółciowego.

Zakażenie zstępujące

Pojawiające się niekiedy jako choroba towarzysząca
zapalenie dróg żółciowych powstaje, gdy rozszerza się
zapalenie pęcherzyka żółciowego. Także zastój żółci
w drogach żółciowych, występujący zazwyczaj w przypadku kamieni żółciowych, może uszkodzić błony

Powstawanie zapalenia
dróg żółciowych

śluzowe dróg żółciowych do tego stopnia, że rozwinie się zapalenie.

Inne przyczyny

Rzadziej występuje zapalenie towarzyszące nowotworowi w drogach żółciowych lub na głowie trzustki, który utrudnia odpływ żółci. Tak jak w przypadku kamieni żółciowych, dochodzi do zastoju żółci, podrażniającej błony śluzowe. Zapalenie może być także spowodowane chorobami dwunastnicy, w której mają swe ujście drogi żółciowe.

Powstawanie przewlekłego zapalenia pęcherzyka żółciowego

Przewlekłe zapalenie pęcherzyka żółciowego najczęściej rozwija się wtedy, gdy nie wyleczono całkowicie ostrego stanu choroby. Nierzadko poprzedzają je zapalne choroby jelit. Nawet gdy zostaną już wyleczone, w pęcherzyku żółciowym może się jeszcze utrzymywać zapalenie przewlekłe. W części przypadków zapalenie jelit jest przewlekłe, jeśli nie podjęto właściwego leczenia lub stan zapalny nie poddaje się terapii. Mogą tu też odgrywać rolę reakcje alergiczne błony śluzowej jelit, przede wszystkim ze względu na indywidualny brak tolerancji na niektóre artykuły spożywcze.

Piasek żółciowy i kamienie żółciowe

Ostatnią przyczyną przewlekłego zapalenia pęcherzyka żółciowego może być piasek żółciowy i kamienie żółciowe. One same nie muszą powodować żadnych silniejszych dolegliwości, jednak stale drażnią mechanicznie błonę śluzową pęcherzyka żółciowego. Wtedy wydzielają się enzymy, które przekształcają lecytynę w pęcherzyku w lizolecytynę, uszkadzającą chemicznie błonę śluzową.

Najważniejsze objawy

Ostre zapalenie pęcherzyka żółciowego powoduje przede wszystkim ciągłe lub często nawracające uczucia ucisku, a niekiedy też gwałtowny ból w nadbrzuszu pod prawym łukiem żebrowym. Obmacując z zewnątrz tę okolicę, wyraźnie czuć wydęty pęcherzyk żółciowy. Ból zwiększa się pod wpływem ucisku z zewnątrz. Zazwyczaj wskutek silniejszego bólu naprężają się też powłoki brzuszne i głównie nad okolicą pęcherzyka

Gwałtowny ból w nadbrzuszu

żółciowego są twarde w dotyku. Ból promieniuje często aż do prawej łopatki, niekiedy tak mocno, że najpierw przypuszcza się, że właśnie tam zlokalizowana jest choroba. Może być tak dokuczliwy, że pacjent w krótkim czasie opada z sił.

W ostrym zapaleniu pęcherzyka żółciowego temperatura ciała niekiedy jest jedynie umiarkowanie podwyższona. Często pojawia się jednak wyższa gorączka, której mogą towarzyszyć dreszcze. W ciężkich przypadkach zdarza się, że dochodzi do niebezpiecznych napadów gorączki.

Wyższa gorączka

Innymi objawami obserwowanymi w ostrym zapaleniu pęcherzyka żółciowego są różne zaburzenia trawienia, głównie nudności, pobudzenie do wymiotów i wymioty, skłonność do wzdęć i do odbijania się, nietolerancja tłuszczów i zaburzenia oddawania stolca, zaparcia lub biegunki, niekiedy też zaparcia i biegunki naprzemiennie. Od czasu do czasu może wystąpić kolka żółciowa z bardzo gwałtownym bólem, wywołana zbyt obfitym i/lub tłustym posiłkiem.

Zaburzenia trawienia

Zapalenie pęcherzyka żółciowego może negatywnie wpłynąć na serce, które zazwyczaj reaguje przyśpieszeniem uderzeń (do 150 lub więcej uderzeń na minutę), ale ciśnienie krwi może też mieć zbyt niskie wartości.

Przyśpieszenie uderzeń serca

W przebiegu tej choroby może wystąpić żółtaczka, ale stosunkowo rzadko. Zazwyczaj obserwuje się w takim przypadku lekkie żółte zabarwienie skóry, a niekiedy tylko stan podżółtaczkowy z żółtawą „bielą" oczu.

W wielu przypadkach zapalenie pęcherzyka żółciowego przebiega bez żółtaczki. Zależy to od tego, czy dochodzi do tak znacznego zastoju żółci, że przenika ona do krwi.

Żółtaczka występuje rzadko

Często towarzyszące tej chorobie zapalenie dróg żółciowych również wywołuje ból w okolicy pęcherzyka żółciowego. Gorączka rośnie przy tym do dość wysokich wartości i towarzyszą jej dreszcze. Częściej rozwija się przy tym żółtaczka.

W *przewlekłym zapaleniu pęcherzyka żółciowego* występują zazwyczaj tylko umiarkowane dolegliwości, dlatego zwykle dochodzi do dużego opóźnienia

Objawy w przewlekłym zapaleniu pęcherzyka żółciowego

w leczeniu choroby. Podejrzane są ciągłe lub okresowo występujące lekkie bóle w okolicy pęcherzyka żółciowego pod prawym łukiem żebrowym, które mogą mieć charakter kolkowy i trwać od paru minut aż po kilka godzin. Między kolejnymi okresami kolki zazwyczaj nie odczuwa się bólu.

Ponadto występują różne zaburzenia trawienia, przede wszystkim brak apetytu, odbijanie się, pobudzenie do wymiotów, wzdęcia, biegunka i/lub zatwardzenie. Ból może nasilić się na czczo, szczególnie w nocy. Zazwyczaj źle tolerowane są określone produkty spożywcze, przede wszystkim tłuszcze i kawa.

Zropienie pęcherzyka żółciowego jako komplikacja

Komplikacją grożącą w ostrym lub przewlekłym zapaleniu pęcherzyka żółciowego jest zropienie tego narządu. W takim przypadku gorączka znacznie wzrasta, nasila się bolesność uciskowa i obrona mięśniowa powłok brzusznych nad wyczuwalnym dotykiem, wydętym i powiększonym pęcherzykiem żółciowym.

Jeśli powłoki brzuszne są naprężone jak deska i nagle wystąpi kłujący ból brzucha, prawdopodobnie doszło do przebicia zropiałego pęcherzyka żółciowego. Jest to stan ostrego zagrożenia życia, ponieważ w takiej sytuacji często dochodzi do zapaści krążeniowej oraz do zapalenia otrzewnej.

> Tylko natychmiastowe leczenie szpitalne może wówczas uratować życie. W razie najmniejszego podejrzenia przebicia pęcherzyka należy natychmiast wezwać pogotowie ratunkowe.

Zazwyczaj jednak można uniknąć tej ciężkiej komplikacji, jeśli ropne zapalenie pęcherzyka żółciowego leczy się wcześnie i konsekwentnie, zgodnie z zaleceniami lekarza specjalisty.

Podobne objawy też w innych chorobach

Objawy podobne do tych, jakie obserwuje się w zapaleniu pęcherzyka żółciowego, mogą wskazywać na stany ropne i zapalenie w okolicy pęcherzyka żółciowego lub nerek, zapalenie miedniczek nerkowych, wrzody żołądka, zapalenie wyrostka robaczkowego lub trzustki, niekiedy też zapalenie płuc. Ze względu na to, że choroby takie leczy się oczywiście inaczej niż zapalenie pęcherzyka żółciowego, rozpoznanie musi być potwierdzone specjalistycznymi badaniami.

Rozpoznanie potwierdzone specjalistycznymi badaniami

Leczenie metodami medycyny naturalnej

W leczeniu zapalenia pęcherzyka żółciowego okazały się skuteczne różne metody przyrodolecznicze. Nie zawsze jednak są wystarczające. Szczególnie w przypadku stanów ropnych pomimo wszystko najpierw aplikuje się antybiotyki, by zapobiec przedostaniu się ropy do jamy brzusznej. Wprawdzie antybiotyki mogą spowodować znaczne skutki uboczne, ale ryzyko przebicia się ropy do jamy brzusznej jest znacznie większym zagrożeniem. Wprawdzie ropny stan zapalny udaje się skutecznie zwalczyć metodami przyrodoleczniczymi, ale może to trwać zbyt długo.

Niekiedy konieczne są antybiotyki

> Jeśli lekarz, zwolennik medycyny naturalnej w pojedynczych przypadkach przepisuje antybiotyki, należy je zażywać dokładnie według jego zaleceń. Przede wszystkim nie wolno ich stosować nieregularnie lub zbyt wcześnie odstawić, bo zarazki mogłyby przeżyć i stać się niewrażliwe na przepisany specyfik.

Jeszcze bardziej krytycznie od antybiotyków trzeba ocenić chirurgiczne usunięcie pęcherzyka żółciowego, które wykonywane jest stosunkowo często. Wprawdzie chodzi o rutynowy zabieg, który w razie dobrego stanu ogólnego pacjenta nie stanowi poważnego ryzyka, a bez pęcherzyka żółciowego można żyć, nie można jednak przewidzieć, czy po usunięciu pęcherzyka żółciowego nie pojawią się zaburzenia trawienia ciągnące się do końca życia. Z jednej strony więc powinno się w miarę możliwości zachować ten narząd, z drugiej strony, nie

Usunięcie pęcherzyka żółciowego jest problematyczne

wolno niepotrzebnie odkładać niezbędnej operacji, ponieważ ryzyko powikłań znacznie się zwiększa, gdy na przykład wskutek przebicia ropiejącego pęcherzyka żółciowego konieczna stanie się nagła operacja – bez odpowiedniego przygotowania.

Wskazane tylko w wyjątkowych przypadkach

Zasadniczo chirurgiczne usunięcie pęcherzyka żółciowego jest wskazane:

• gdy zachodzi ropienie narządu, którego nie można wyleczyć ani antybiotykami ani metodami przyrodoleczniczymi, a więc trzeba się liczyć z przebiciem,

• gdy narząd, w którym występuje przewlekłe zapalenie, działa jak ognisko chorobowe, które samo nie musi powodować silniejszych dolegliwości, ale działając na odległość może zaburzać wiele innych czynności organizmu (między innymi układ odpornościowy),

• jeśli znacznie wzrośnie ryzyko raka pęcherzyka żółciowego, co jest niezależne od działania zdalnego ogniska chorobowego w przewlekłym zapaleniu pęcherzyka żółciowego.

W wielu przypadkach operacja staje się zbędna, pod warunkiem wystarczająco wczesnego podjęcia leczenia metodami medycyny naturalnej. Dzięki nim można niekiedy całkowicie wyleczyć nawet przewlekłe zapalenie pęcherzyka żółciowego, które trwa już od dłuższego czasu i nie reaguje na leczenie metodami medycyny akademickiej.

Lekarz decyduje o metodzie leczenia naturalnego

O tym, które metody przyrodolecznicze są wskazane, decyduje w konkretnym przypadku lekarz. Do środków ogólnych, zalecanych w ostrym zapaleniu pęcherzyka żółciowego, należy bezwzględne leżenie w łóżku i kilka dni głodowych. Dzięki temu stan zdrowia

Środki ogólne

może się szybko poprawić. W trakcie dni głodowych – zazwyczaj wystarczają 2–3 – pije się tylko niesłodzoną herbatę ziołową, głównie rumiankową, z ostropestu plamistego i mięty, które korzystnie wpływają na pęcherzyk żółciowy.

Przeciętnie pije się dziennie 4–6 filiżanek herbaty małymi łykami. Dobowe zapotrzebowanie organizmu na płyny uzupełnia się ponadto 1,5 l wody mineralnej o niskiej zawartości dwutlenku węgla i soli kuchennej.

Po zakończeniu kuracji głodowej przechodzi się najpierw na dietę opartą na kleikach (kleik owsiany, ryżowy), której przestrzega się znów przez kilka dni, aż stan poprawi się jeszcze bardziej. Herbaty ziołowe i wodę mineralną pije się jak w krótkiej głodówce.

Dopiero po uzyskaniu zgody lekarza tę ścisłą dietę można uzupełnić innymi produktami spożywczymi, po to by była pełnowartościowa i by można było ją stosować jeszcze przez dłuższy czas. Taka lekka dieta w chorobach pęcherzyka żółciowego składa się głównie ze zboża z pełnego przemiału, makaronu z mąki razowej, puree z ziemniaków i warzyw oraz drobno startych lub przetartych świeżych owoców. Surowo zakazane są tłuszcz, wyroby mięsne i jaja. Teraz poza herbatą ziołową i wodą mineralną można też pić naturalne soki z owoców i warzyw.

Odpowiednio do poprawy stanu zdrowia można powoli rozszerzać tę dietę, która stopniowo zaczyna bardzo przypominać dietę wątrobową. Powinna więc składać się z potraw wegetariańskich i zawierać wiele dobrze tolerowanych surowych warzyw i owoców, których nie trzeba już tak bardzo rozdrabniać.

Dieta oparta o kleiki

Lekka dieta w chorobach pęcherzyka żółciowego

> W chorobach pęcherzyka żółciowego zabronione są aż do całkowitego wyzdrowienia wszystkie potrawy działające wzdymająco, pieczone lub smażone w tłuszczu, łój, smalec, napoje chłodzone lodem, alkohol i zwykle też kawa ziarnista.

Tłuszczów używa się w bardzo umiarkowanych ilościach, spożywa się głównie dietetyczną margarynę roślinną i wytłaczane na zimno oleje roślinne. Mięso – gotowane, w umiarkowanych ilościach – można jeść co najwyżej raz na tydzień (lepiej na pewien czas w ogóle z niego zrezygnować), i to tylko chude, delikatne gatunki (jak drób). Od czasu do czasu można też włączyć

Tłuszcze i mięso

do jadłospisu gotowane, chude ryby. Źródłem białka powinien być głównie chudy twaróg i jogurt. Nieco masła do smarowania chleba zazwyczaj nie zaszkodzi, ale nie jest konieczne.

Dozwolone i zabronione środki spożywcze

Dieta w chorobach pęcherzyka żółciowego musi poza powyższymi podstawowymi regułami uwzględniać jeszcze osobniczą nietolerancję niektórych produktów spożywczych. Z tego względu musi być zawsze indywidualnie ustawiona przez lekarza. Poniższa lista dozwolonych i zabronionych produktów żywnościowych służy jedynie ogólnej orientacji.

Środki spożywcze roślinne

Dozwolone są czerstwy chleb, chleb chrupki, niektóre gatunki owoców miękkich (np. banany, truskawki, czarne jagody, maliny, mandarynki, melony i brzoskwinie), naturalne soki owocowe, różne sałaty, kalafior, młody groch i fasola szparagowa, marchewka, szparagi, szpinak, puree ziemniaczane, ziemniaki w mundurkach, naturalne soki warzywne.

Unikać należy ciasta francuskiego i kruchego, pieczywa drożdżowego, pieczywa tłustego, tortów, placków drożdżowych z bakaliami, makaronów jajecznych, orzechów w każdej postaci, owoców suszonych (np. daktyle, figi, rodzynki), jabłek, gruszek, porzeczek, czereśni, agrestu, winogron, wszelkich niedojrzałych gatunków owoców, ogórków, kapusty, ziół, grzybów (z wyjątkiem pieczarek), chrzanu, papryki, smażonych ziemniaków, pyz, placków ziemniaczanych, sałatki kartoflanej, frytek i chipsów. Rzodkiewka, a przede wszystkim rzodkiew mogą być spożywane jako środek leczniczy według zaleceń lekarza, o ile organizm dobrze je tolerowane. Jednakże do celów samopomocy są absolutnie nieodpowiednie, bo mogłoby się zdarzyć, że na skutek ich spożycia stan pacjenta jeszcze by się pogorszył.

Środki spożywcze zwierzęce

Dozwolone są w umiarkowanych ilościach chuda, gotowana wołowina, cielęcina i drób, nietłuste, gotowane ryby (np. dorsz, pstrąg, sola i sandacz), dietetyczna,

chuda kiełbasa, chude mleko, chudy jogurt, twaróg,
maślanka, niedojrzewające sery z kwaśnego mleka,
zawierający mało tłuszczu ser żółty i topiony, niekiedy
jedno ugotowane na miękko jajko, niedużo masła.

Zabronione są przede wszystkim tłuste gatunki
mięsa (wieprzowina, baranina, kaczka, gęś), większość
gatunków kiełbasy, tłuste ryby jak węgorz, pikling,
śledź i łosoś, produkty wędzone i peklowane, potrawy
mięsne i rybne smażone i panierowane, mleko skon-
densowane (z wyjątkiem chudego z 4% tłuszczu), słod-
ka śmietana, kwaśna śmietana o wysokiej zawartości
tłuszczu, wszystkie gatunki sera o zawartości tłuszczu
przekraczającej 30%, jaja surowe, gotowane na twardo
lub smażone na tłuszczu, łój wołowy, smalec wieprzo-
wy, tłuszcz kokosowy i palmowy, masło orzechowe
i kakaowe, majonez.

Inne środki spożywcze
Dozwolone są między innymi nieutwardzona margaryna
dietetyczna, oleje roślinne wytłaczane na zimno, miód
i fruktoza w umiarkowanych ilościach, nie za ostre ro-
dzime zioła aromatyczne w małych dawkach, niewielkie
ilości soli kuchennej.

Unikać należy utwardzonej margaryny śniadaniowej,
rozgrzanych i rafinowanych olejów roślinnych, czekolady,
pralinek, marcepanów i innych słodyczy, lodów i wszelkich
ostrych przypraw (jak pieprz, musztarda i ocet).

Napoje
Dozwolone są herbata ziołowa bez cukru, woda mineralna o niskiej zawartości dwutlenku węgla i soli kuchennej,
naturalne soki owocowe i warzywne bez dodatku cukru
i soli, nie za mocna czarna herbata i umiarkowane ilości
kawy ziarnistej, niekiedy też nieco niekwaśnego czerwonego wina (tylko po uzyskaniu zgody lekarza).

Zabronione są wszelkie napoje alkoholowe (poza
niewielką ilością czerwonego wina), schłodzone lodem,
kwaśne lub słodkie soki, kakao, mocna czarna herbata
lub kawa ziarnista, woda mineralna o wysokiej zawartości dwutlenku węgla i soli kuchennej.

W ramach tych zasad można bez trudności zestawić pełnowartościowe, różnorodne i smaczne posiłki, które mogą też być spożywane w dłuższej diecie oszczędzającej.

Leczenie farmakologiczne

W leczeniu farmakologicznym ostrego zapalenia pęcherzyka żółciowego poza koniecznymi w części przypadków antybiotykami często stosuje się leki przeciwbólowe i przeciwskurczowe. Należy jednak zachować

Ostrożnie z silnymi środkami przeciwbólowymi

ostrożność, używając silnych leków przeciwbólowych, ponieważ mogą długo maskować przebicie zropiałego pęcherzyka żółciowego. Z powodu tego zagrożenia lepiej pogodzić się z umiarkowanym bólem.

Decyzję, czy i jakie środki łagodzące ból i skurcze są wskazane, podejmuje lekarz. Nie wolno nigdy przyjmować tego typu leków na własną rękę (nawet dostępnych bez recepty). Niejednokrotnie uzyskuje się dobre efekty w łagodzeniu dolegliwości dzięki indywidualnie, właści-

Środki homeopatyczne

wie dobranym środkom homeopatycznym.

Poza lekami służącymi zmniejszeniu objawów medycyna naturalna stosuje jeszcze różne środki lecznicze, które działają przyczynowo na zapalenie lub zropienie pęcherzyka żółciowego. Skuteczne okazały się środki homeopatyczne, które muszą być przepisywane przez lekarza dla każdego przypadku indywidualnie. Do podstawowych środków w schorzeniach dróg żółciowych

Chelidonium

należą *Chelidonium* (glistnik jaskółcze ziele), roślina lecznicza, w stanie nierozcieńczonym trująca, jako preparat homeopatyczny nie budząca zastrzeżeń. Ma korzystne działanie przede wszystkim na bolesne kurcze i wspomaga leczenie zapaleń.

Ponadto w schorzeniach pęcherzyka żółciowego stosuje się między innymi preparaty homeopatyczne z ostropestu plamistego (jak w schorzeniach wątroby), *Pulsatilla* (sasanka), *Magnesium carbonicum* lub *phosphoricum*, *Belladonna* (pokrzyk wilcza jagoda) lub *Taraxacum* (mniszek pospolity), w zależności od indywidualnego obrazu klinicznego choroby. Do pobudzenia odporności organizmu przeciw zapaleniom i ropieniu często stosuje się dodatkowo jeżówkę. Te środki homeopatyczne to zazwyczaj podstawa skutecznego leczenia ostrego zapalenia pęcherzyka żółciowego.

Do wyzdrowienia może też przyczynić się ziołolecznictwo. Ale i tu obowiązuje zasada, że rośliny lecznicze, nawet jeśli są dostępne bez recepty, wolno używać tylko według zaleceń lekarza, ponieważ w razie nieodpowiedniego stosowania mogłyby one w niektórych przypadkach w niepożądany sposób pobudzić wydzielanie żółci oraz czynność pęcherzyka żółciowego i dróg żółciowych, co w najlepszym przypadku mogłoby doprowadzić do gwałtownej kolki, a w najgorszym do przebicia zropiałego pęcherzyka żółciowego. Tylko lekarz może ocenić, czy takie ryzyko istnieje.

Jako podstawowe środki w ziołolecznictwie stosowane są w formie leków gotowych *glistnik jaskółcze ziele* (ze względu na toksyczność stosować ściśle według przepisu) i *ostropest plamisty* nierozcieńczony, a więc przygotowany nie według zasad homeopatii. Często stosuje się też w nierozcieńczonej postaci *jeżówkę* w celu podwyższenia odporności przeciw zapaleniom lub ropieniu, niekiedy także jako uzupełnienie koniecznej terapii antybiotykowej.

Poza tym odpowiednie są jeszcze przede wszystkim *rumianek* i *mięta pieprzowa* (jako ciepła herbata według przepisu użycia), które mogą przynieść pozytywne efekty szczególnie w przypadku ostrej kolki. Inne rośliny lecznicze, jak karczochy, bobrek trójlistny, goryczka, mniszek pospolity, tysiącznik pospolity, bylica piołun mogłyby wprawdzie również pomóc, ale zbyt silnie pobudziłyby czynność pęcherzyka żółciowego. Z tego powodu w ostrych przypadkach są przepisywane rzadko.

Wyśmienitym, znanym od zawsze w medycynie ludowej środkiem żółciopędnym jest sok z czarnej rzodkwi, który można zrobić w domu lub kupić w sklepie ze zdrową żywnością. Stosowany jest według różnych receptur, np. w ramach włoskiej kuracji oliwą, w której wykorzystuje się sok z rzodkwi, olej z oliwek i olejek z mięty pieprzowej. Ale tego środka leczniczego można spróbować tylko wtedy, gdy z całą pewnością da się wykluczyć ropne zapalenie pęcherzyka żółciowego, bo w przeciwnym razie istniałoby niebezpieczeństwo przebicia ropy do jamy brzusznej. Z tego powodu ten domowy

Ziołolecznictwo

Glistnik jaskółcze ziele

Ostropest plamisty

Jeżówka

Rumianek i mięta pieprzowa

Sok z rzodkwi

środek nie nadaje się do celów samopomocy i można go stosować tylko według przepisu lekarza.

Profilaktycznie

Jednakże profilaktycznie, żeby zapobiec schorzeniom pęcherzyka żółciowego, można przeprowadzać regularnie (najlepiej 2 razy w roku) przez 2–3 tygodnie kurację sokiem z czarnej rzodkwi. Wzmacnia się w ten sposób czynność pęcherzyka żółciowego oraz zapobiega zapaleniom i tworzeniu się kamieni. Aby z całą pewnością wykluczyć występowanie schorzeń pęcherzyka żółciowego, należy koniecznie uzgodnić profilaktyczną kurację rzodkwią z lekarzem. Jeśli zgodzi się na nią, pije się przez 2–3 tygodnie każdego dnia na czczo szklankę soku z rzodkwi, do którego można dodać kilka kropel soku cytrynowego i 1–2 łyżeczki oliwy.

> Badania naukowe wykazały, że na południu Niemiec schorzenia pęcherzyka żółciowego występują rzadziej. Tłumaczy się to tym, że zwyczajowo spożywa się tu dużo rzodkwi. Kto czyni to regularnie, może zrezygnować z kuracji profilaktycznej sokiem z rzodkwi.

Fizjoterapię musi przepisać lekarz

Uważa się, że fizjoterapia łagodzi bóle występujące w ostrym zapaleniu pęcherzyka żółciowego i wspomaga leczenie. Ale także zabiegi fizjoterapeutyczne muszą być przepisane przez lekarza, aby nie wystąpiły żadne poważne działania uboczne. Zasadniczo przy kolce i w celu lepszego ukrwienia narządu wskazane jest stosowanie na okolicę pęcherzyka żółciowego na przykład gorących kompresów z siana lub podobnie działającego kompresu borowinowego.

Ciepło może jednakże spowodować szybkie rozprzestrzenianie się zapalenia, a przede wszystkim znacznie wzmóc ropienie, co grozi przebiciem pęcherzyka żółciowego. Z uwagi na to ciepłe zabiegi fizykal-

Ciepłe zabiegi nie zawsze są dozwolone

ne nie w każdym przypadku są dozwolone. Wówczas stosuje się zimne okłady, worki z lodem lub gotowe kompresy schładzające (dostępne w aptekach), które jednocześnie łagodzą ból i hamują zapalenie. Tylko lekarz jest w stanie rozpoznać, czy należy zdecydować się na zabiegi gorące czy zimne. Dlatego nie polecamy tu żadnych konkretnych zabiegów. W zasadzie nadają się wszystkie, które opisano już w rozdziale dotyczącym schorzeń wątroby.

Lekarz może jeszcze zastosować inne metody przyrodolecznicze:

* *Terapia neuralna* polegająca na wstrzyknięciu środ- Terapia neuralna
ków do znieczulenia miejscowego (przede wszystkim prokainy) nad okolicą pęcherzyka żółciowego, częściej na prawej górnej części grzbietu, tam gdzie znajduje się strefa refleksowa przynależąca do pęcherzyka żółciowego, do której promieniuje ból. Leczenie to nie tylko łagodzi ból, lecz także wspomaga zdrowienie.

* *Stawianie baniek* na strefie refleksowej pęcherzyka Stawianie baniek
żółciowego na plecach. Stawia się szklane bańki, które odsysają powietrze. Powstaje przy tym swego rodzaju krwiak, który ma działanie przestrajające (wspomagające zdrowienie).

Nie będziemy zajmować się tu innymi metodami medycyny naturalnej, które mogą być wskazane w pojedynczych przypadkach.

Podstawę leczenia przewlekłego zapalenia pęche- Dieta jako podstawa
rzyka żółciowego stanowi dieta podobna do stosowanej leczenia
po uzyskaniu poprawy w ostrym zapaleniu pęcherzyka żółciowego, lecz należy jej ściśle przestrzegać przez znacznie dłuższy czas. Jeśli nie udaje się wyleczyć przewlekłego zapalenia pęcherzyka żółciowego, do końca życia konieczne jest zachowywanie lekkiej diety. Również po chirurgicznym usunięciu pęcherzyka żółciowego, którego żadnymi sposobami nie dało się wyleczyć, wskazana jest ta sama, stała dieta, żeby w miarę możliwości uniknąć zaburzeń trawienia.

W leczeniu farmakologicznym przewlekłego zapa- Leczenie
lenia pęcherzyka żółciowego stosuje się w pierwszej farmakologiczne
kolejności te same leki homeopatyczne i roślinne, przewlekłego zapalenia
które wymieniono przy zapaleniu ostrym. Należy przy pęcherzyka żółciowego
tym zachować również podobne środki ostrożności,

by nie pobudzić zbyt silnie pęcherzyka żółciowego i dróg żółciowych, co mogłoby doprowadzić do kolki lub przebicia.

Pobudzenie wydzielania żółci z pomocą roślinnych środków leczniczych

Jednakże pewne pobudzenie wydzielania żółci z pomocą żółciopędnych roślinnych środków leczniczych (ale tylko ściśle według zaleceń lekarza) jest w przewlekłym zapaleniu pożądane, ponieważ w ten sposób następuje dezynfekcja pęcherzyka żółciowego i dróg żółciowych, dzięki czemu usuwa się z pęcherzyka żółciowego bakterie, substancje trujące i produkty powstające w wyniku zapalenia.

Fizjoterapia

Fizjoterapia może, tak jak w zapaleniu ostrym, obejmować gorące kompresy z siana lub borowiny, o ile uda się wykluczyć stan ropny. Ale wiadomo z doświadczenia, że te gorące zabiegi często nie są dobrze

Kąpiel trzy czwarte

znoszone. Wówczas alternatywą może być *kąpiel trzy czwarte* wstępująca, w której woda sięga powyżej dolnego łuku żebrowego.

Kąpiel rozpoczyna się w wodzie o temperaturze 37–38°C. W ciągu 5–10 minut dopuszcza się ostrożnie, w małych ilościach gorącą wodę, aż osiągnięta zostanie temperatura 41–42°C. Kąpiel powinna trwać w sumie około 15 minut. Stosuje się ją 2–4 razy tygodniowo oraz w razie wystąpienia kolki. Działanie kąpieli można zintensyfikować, dodając do wody, zgodnie ze sposobem użycia, gotowy dodatek z siana, dostępny w aptekach.

> Pacjentom cierpiącym na zaburzenia krążenia wolno stosować kąpiel trzy czwarte tylko za zgodą lekarza, ponieważ organizm nie zawsze dobrze ją toleruje.

Innym polecanym środkiem jest, podobnie jak w ostrym zapaleniu, stawianie baniek i/lub terapia neuralna w obrębie pleców.

Leczenie pijawkami

Jeśli w przewlekłym zapaleniu pęcherzyka żółciowego inne metody lecznicze okażą się nieskuteczne, wskazana może być wielokrotna terapia pijawkami, polegająca na przystawianiu w trakcie każdego zabiegu 6–10 pijawek pod prawym łukiem żebrowym w celu sprowokowania wyraźnego bodźca leczniczego, który może zapoczątkować działanie mechanizmów samowyleczenia (wyzdrowienia spontanicznego).

To specyficzne postępowanie lecznicze można uzupełnić, normalizując w razie potrzeby warunki kwasowości w żołądku i pożyteczną florę bakteryjną w jelicie. Niedokwaśność soku żołądkowego i zaburzenia flory bakteryjnej jelitowej odgrywają nierzadko rolę w przewlekłym zapaleniu pęcherzyka żółciowego, ponieważ w przypadku występowania takich zaburzeń zarazki mogą umiejscowić się w jelicie i przenikając stamtąd do pęcherzyka żółciowego, stale podtrzymywać zapalenie. W takich przypadkach wyleczenie jest oczywiście możliwe dopiero po usunięciu przyczyn.

Niedokwaśność soku żołądkowego i zaburzenia flory bakteryjnej

Z uwagi na to, że przewlekłe zapalenie pęcherzyka żółciowego często jest wywołane przez kamienie żółciowe, nieodzowne jest albo farmakologiczne rozpuszczenie kamieni, albo ich chirurgiczne usunięcie. Dopiero wtedy bowiem, gdy przestaną stale drażnić mechanicznie błonę śluzową pęcherzyka żółciowego, przewlekłe zapalenie ustąpi.

Kamienie żółciowe należy rozpuścić lub usunąć chirurgicznie

Opisane powyżej środki lecznicze stosowane w ostrym i przewlekłym zapaleniu pęcherzyka żółciowego często oddziałują na współwystępujące zapalenie dróg żółciowych, a więc choroby tej nie trzeba leczyć dodatkowo.

Piasek żółciowy i kamienie żółciowe

Kamienie i piasek w pęcherzyku żółciowym uważane są za najczęstszą chorobę układu żółciowego. Zachorowalność jest znów znacznie wyższa wśród kobiet niż wśród mężczyzn.

Najczęstsza choroba układu żółciowego

Normalnie składniki żółci utrzymywane są przez układ koloidowy w roztworze. Dopiero gdy układ ten nie funkcjonuje prawidłowo, dochodzi do rozdzielenia mieszaniny, poszczególne składniki żółci są wytrącane i stopniowo krystalizują, tworząc kamienie.

Piasek żółciowy

Kamienie żółciowe
Szlam żółciowy

Na początku pojawia się *piasek żółciowy* – nagromadzenie kamyczków wielkości ziarenek grysiku w pęcherzyku żółciowym. Z piasku powstają z czasem większe *kamienie żółciowe* wskutek odkładania się dalszych składników żółci. Należy odróżnić od nich *szlam żółciowy*, czyli nagromadzenie bakterii, włóknika krwi – fibryny, żółci i części komórek w pęcherzyku żółciowym i jego przewodach, który nie ma nic wspólnego z chorobą kamiczą. Tu zajmiemy się tylko piaskiem żółciowym i kamieniami żółciowymi.

Jak powstają kamienie żółciowe

Zaburzenia w układzie
koloidowym żółci

Tworzenie się kamieni żółciowych spowodowane jest zaburzeniami w układzie koloidowym żółci. Wskutek tego składniki żółci, które normalnie znajdują się w roztworze ulegają odmieszaniu i mogą się wytrącić. Wówczas z wytrąconych składników powstają zarodki krystalizacji, wokół których narasta piasek żółciowy i kamienie żółciowe.

Przyczyny

Przyczyny tworzenia się kamieni żółciowych nie są jeszcze do końca wyjaśnione. Główną rolę odgrywają przy tym następujące czynniki:
- Zapalenie pęcherzyka żółciowego i dróg żółciowych, w trakcie którego skład żółci tak się zmienia, że jej składniki mogą się wytrącić (i na odwrót, często dopiero kamienie żółciowe wywołują wskutek ciągłego drażnienia mechanicznego błony śluzowej pęcherzyka żółciowego stany zapalne).
- Zaburzenia odpływu żółci w ujściu przewodu żółciowego do dwunastnicy. Wskutek tego żółć, która nagromadziła się w pęcherzyku żółciowym, może się mieszać ze świeżą żółcią z wątroby i zmieniać swą postać, tak że dochodzi do wytrącenia się jej składników.
- Spiętrzenie soku trawiennego trzustki (posiadającej wspólne ujście do dwunastnicy z przewodem żółciowym), który dostaje się do przewodów żółciowych. W takim przypadku często dochodzi do zaburzenia

zdolności żółci do utrzymywania w roztworze cholesterolu i powstania kamieni cholesterolowych.

• Zmiany napięcia w wegetatywnym układzie ner-
wowym, które w przypadku zwiększonego napięcia
nerwu błędnego prowadzą do zagęszczenia żółci,
a w przypadku zwiększonego napięcia nerwu współ-
czulnego do jej rozrzedzenia. W obu przypadkach tak
zmienia się skład żółci, że wytrącają się stałe składniki
(częściowo odgrywają przy tym rolę także czynniki
psychiczne).

• Dyskutuje się nad predyspozycjami dziedzicznymi, ponieważ kamicę żółciową spotyka się częściej w obrębie
rodziny. Same niekorzystne predyspozycje z reguły nie
wystarczają jednak, by mogły się utworzyć kamienie
żółciowe, muszą jeszcze pojawić się inne przyczyny.

• Powstawanie kamieni żółciowych mogą również
ułatwiać zaburzenia przemiany materii, chodzi tu
głównie o cukrzycę u dorosłych i otyłość. Niekiedy
kamienie żółciowe występują w związku z ciążą, czego
jednak nie można jeszcze ostatecznie wyjaśnić.

Wraz z wytrąceniem się składników żółci powstają początkowo zarodki krystalizacji. Wokół nich gromadzi się
bilirubina, cholesterol, białko i sole wapniowe. Wskutek
tego kamienie żółciowe powoli rosną.

Zarodki krystalizacji

Często początkowo występuje tylko piasek żółciowy,
którego cząstki mają wielość przypominającą ziarnka
grysiku. Cząstki te stopniowo powiększają się, ale nie
z każdej powstaje większy kamień żółciowy.

Kamienie żółciowe dzieli się według wielu kryteriów:

Podział kamieni
żółciowych

• Według liczby kamieni – w pęcherzyku może znajdować się *kamień pojedynczy,* o względnie dużych
rozmiarach lub *kamienie gromadne*, które zazwyczaj
są mniejsze od pojedynczych, ale jest ich kilka.

• Według liczby składników – na *kamienie jednorodne,* jednoskładnikowe i na *kamienie złożone* z wielu
substancji. Kamienie złożone występują częściej niż
kamienie jednorodne.

• Według rodzaju składników – przede wszystkim na
kamienie żółciowe cholesterolowe, które zazwyczaj

występują pojedynczo, *kamienie żółciowe barwni-kowe*, które występują rzadko i prawie zawsze jako kamienie gromadne, oraz *kamienie żółciowe choleste-rolowo-wapniowe* lub *cholesterowo-wapniowo-barw-nikowe*, które zwykle powstają z kamieni żółciowych cholesterolowych przez odkładanie się soli wapnio-wych i częściowo też barwników. Najczęstsze rodzaje kamieni to kamienie żółciowe cholesterolowo-wap-niowe i cholesterolowo-wapniowo-barwnikowe.

Kamienie żółciowe umiejscowione są głównie w pęcherzyku żółciowym

Kamienie żółciowe umiejscowione są głównie w pęche-rzyku żółciowym. Mogą jednak też występować poza pęcherzykiem, szczególnie w przewodzie pęcherzyko-wym, przewodzie żółciowym wspólnym i przewodzie wątrobowym, w przewodach żółciowych wewnątrz wą-troby lub przy ujściu przewodu żółciowego wspólnego do dwunastnicy.

Niejasne objawy ostrzegawcze

Przez długi czas nieznaczne objawy

Piasek żółciowy i kamienie żółciowe często przez długi czas powodują tylko niewielkie objawy. Dolegliwości są tak nieznaczne, że pacjenci przyzwyczajają się do nich i tracą szansę na wczesne leczenie. Wówczas kamienie coraz bardziej się powiększają, aż pozostaje jedynie chirurgiczne ich usunięcie, a mogą też stać się przyczyną raka.

> Niebezpieczeństwo zwyrodnienia rakowego jest w przewlekłej kamicy żółciowej tak duże, że uzasad-nione wydaje się traktowanie kamieni żółciowych jako choroby przedrakowej.

Wysokie ryzyko raka

Niespecyficzne objawy ostrzegawcze

Wprawdzie wcale nie u wszystkich pacjentów rozwija się rak, ale ryzyko jest względnie wysokie.

Niespecyficzne objawy ostrzegawcze ostrej kamicy żółciowej to przede wszystkim opisana już umiarkowana bolesność uciskowa pod prawym łukiem żebrowym. Jeśli wyczuje się przez obmacywanie z zewnątrz pęcherzyk żółciowy, może on być w części przypadków obrzmiały, a ucisk przy obmacywaniu często prowadzi do obrony mięśniowej powłok brzusznych.

Poza tym w wielu przypadkach występują niejasne dolegliwości brzuszne i zaburzenia trawienia, szczególnie uczucie ucisku i pełności w nadbrzuszu i nietolerancja tłuszczu. Przyjmowanie pożywienia może powodować przejściowe zaostrzenie wszystkich dolegliwości. Wielu pacjentów podaje jeszcze, że dolegliwości te są bardziej odczuwalne podczas głębokiego oddychania, kichania i kaszlu. Niekiedy towarzyszy im umiarkowana gorączka i nieznaczna żółtaczka skóry.

Przy przewlekłej kamicy żółciowej, która zazwyczaj trwa całe lata, pacjenci również wskazują tylko na umiarkowane dolegliwości. Przede wszystkim zauważa się nieprzyjemne, rzadziej bolesne uczucie ucisku pod prawym łukiem żebrowym. Pęcherzyk żółciowy może być ze względu na nagromadzenie się wydzieliny rozdęty, a w zaawansowanych przypadkach wskutek marszczenia się zmniejszony. W nadbrzuszu pojawia się zwykle uczucie pełności i nudności. Często pacjenci uskarżają się na wzdęcia, zaparcia lub biegunkę, a niekiedy mają skłonność do wymiotów. Podczas obmacywania okolicy pęcherzyka żółciowego bolesność uciskowa nasila się, a w prawym nadbrzuszu w reakcji obronnej powłoki brzuszne mogą się napiąć. Niekiedy występuje lekka żółtaczka skóry.

Często z czasem rozwija się zapalenie pęcherzyka żółciowego o objawach opisanych już wcześniej. W razie zropienia pęcherzyka żółciowego odczuwalne są silniejsze bóle pod prawym łukiem żebrowym z towarzyszącą im wysoką gorączką i obroną mięśniową powłok brzusznych, niekiedy pojawiają się też dreszcze. W takim przypadku uszkodzeniu może ulec również wątroba.

Nierzadko przewlekła kamica żółciowa powoduje komplikacje w postaci dolegliwości w okolicy serca i napady zawrotów głowy. To, że kamień zablokował przewód żółciowy, rozpoznaje się przede wszystkim

Umiarkowane dolegliwości także w przewlekłej kamicy żółciowej

Silniejszy ból, gdy pęcherzyk żółciowy jest zropiały

Komplikacje

po intensywnej żółtaczce, obfitującym w tłuszcz stolcu i piwnobrązowym moczu.

Różne potrawy mogą pogorszyć dolegliwości

Różne potrawy mogą przejściowo ostro pogorszyć przewlekłe dolegliwości. Dotyczy to wszystkich środków spożywczych, które powodują wzmożone kurczenie się pęcherzyka żółciowego, szczególnie rozgrzanych tłuszczów, olejów, jajek, czekolady i kawy ziarnistej oraz wszystkich zbyt zimnych potraw i napojów. Prawie zawsze źle są tolerowane tłuszcze, szczególnie zwierzęce.

Objawy nie są charakterystyczne dla przewlekłej kamicy żółciowej

Wszystkie te objawy nie są jednak charakterystyczne dla przewlekłej kamicy żółciowej. W przypadku tego typu dolegliwości trzeba też wziąć pod uwagę raka pęcherzyka żółciowego i dróg żółciowych, wrzody żołądka, zapalenie trzustki lub wyrostka robaczkowego, kamienie nerkowe i zapalenie miedniczek nerkowych, które mogą dawać podobne objawy ostrzegawcze. Nierzadko ból promieniuje do podbrzusza w zawale serca, który może wywoływać objawy podobne jak kamica żółciowa. Ostateczne rozpoznanie wymaga specjalistycznych badań, których nie wolno w razie podejrzenia kamieni żółciowych niepotrzebnie odwlekać.

Pewne rozpoznanie tylko na podstawie specjalistycznych badań

Dramatyczna kolka żółciowa

Dla pacjenta subiektywnie najcięższym następstwem kamieni żółciowych jest kolka żółciowa. Pojawiający się ból należy do najgorszych, jakie człowiek musi znieść. Z reguły do kolki dochodzi w ostrych stanach kamicy żółciowej, ponieważ wtedy, gdy pęcherzyk żółciowy w przewlekłej kamicy jest skurczony, zazwyczaj do kolki już nie dochodzi.

Najgorszy ból

Kolka żółciowa wywoływana jest często przez zbyt obfite, tłuste lub wzdymające potrawy, jajka na twardo, silną kawę lub czarną herbatę, piwo, wino lub wino musujące. Ale ostrą kolkę żółciową może także sprowokować złość, stres i inne czynniki psychiczne.

Czynniki wywołujące kolkę

Kolka powstaje – mówiąc w uproszczeniu – gdy kamień dostanie się do dróg żółciowych i zostanie tam

Powstawanie

zakleszczony. Mięśniówka próbuje usunąć tę przeszkodę, ponawiając skurcze. Wyparte mniejsze kamienie przedostają się w ten sposób się do jelita i kolka wtedy ustaje. Większe kamienie nie mogą być jednak wydalone w taki naturalny sposób. Nieleczona kolka trwa wówczas godzinami, aż do wyczerpania mięśniówki, a kamień zazwyczaj z powrotem trafia do pęcherzyka żółciowego.

Napad kolki żółciowej rozpoczyna się częściej w nocy, z reguły bez objawów ostrzegawczych. Ból pojawia się nagle i coraz bardziej się nasila. W części przypadków najpierw występuje tępa bolesność uciskowa, która może się potęgować i stać się niemal nie do wytrzymania (często opisywana jest jako pchnięcia nożem). Zazwyczaj ból związany z kolką promieniuje do pleców, do prawej łopatki, do prawego ramienia i/lub do szyi po prawej stronie. Często nasila się pod wpływem głębokiego oddychania. Napad może trwać od kilku sekund do kilku minut, bez interwencji lekarza nawet kilka godzin. Kolce żółciowej często towarzyszą krótkie dreszcze, a następnie przez kilka godzin umiarkowana gorączka – ok. 38–39°C.

W wielu przypadkach skurcze rozprzestrzeniają się na sąsiednie narządy. Prowadzi to między innymi do nudności i wymiotów, będących oznaką uczestnictwa żołądka oraz do kolki jelitowej z wzdęciami, zaparciem lub biegunką. Podczas obmacywania okolicy pęcherzyka żółciowego wyzwalana jest obrona mięśniowa powłok brzusznych, a sam pęcherzyk jest wyraźnie powiększony. Również wątroba może być obrzmiała.

Po ustaniu kolki pacjenci szybko dochodzą do siebie. W następnym dniu może się ewentualnie rozwinąć lekka żółtaczka, która niekiedy rozpoznawalna jest tylko po „bieli" oczu. W przypadku częstej kolki lub towarzyszącego jej zapalenia pęcherzyka żółciowego lekka żółtaczka może się utrzymać. Ustąpienie kolki nie oznacza oczywiście wyleczenia kamicy żółciowej. Nawet jeśli kamień został wydalony do jelita, w układzie żółciowym mogą pozostawać inne kamienie żółciowe

Początek często w nocy

Promieniowanie bólu

Czas trwania bólu

Dreszcze i gorączka

Rozprzestrzenienie na sąsiednie narządy

Żółtaczka

Komplikacje

lub powstać nowe. Jeśli kamień nie został wyparty w naturalny sposób, po ustąpieniu kolki wraca zazwyczaj do pęcherzyka żółciowego, a więc w każdej chwili kolka może pojawić się ponownie.

Komplikacje zagrażające w ostrej kolce żółciowej to niekiedy reakcja wstrząsu z wystąpieniem zimnego potu, spadek ciśnienia krwi i tętna aż po zapaść z utratą przytomności. W przebiegu kolki może dojść także do przebicia zropiałego pęcherzyka żółciowego do jamy brzusznej.

Natychmiast wezwać lekarza

Obydwie komplikacje są bardzo niebezpieczne dla życia. Również z tego powodu – nie tylko ze względu na gwałtowny ból związany z kolką – należy natychmiast wezwać lekarza, a w ciężkich przypadkach leczenie musi być prowadzone w szpitalu.

Leczenie kamicy żółciowej

Pierwszy gwałtowny napad kolki żółciowej jest dla części pacjentów „szczęśliwym trafem", ponieważ silny ból zmusza ich z reguły do wizyty u lekarza. Z doświadczenia wiadomo, że wcześniejsze, lekkie, niejasne objawy ostrzegawcze są lekceważone. A przecież w przypadku

W przypadku wczesnego rozpoznania kamienie żółciowe można rozpuścić bez operacji.

wczesnego rozpoznania można uniknąć operacji i niektóre kamienie żółciowe rozpuścić farmakologicznie. Ale jeśli zabieg chirurgiczny jest jednak konieczny, także powinno się go przeprowadzić względnie wcześnie, aby zapobiec rozwojowi raka pęcherzyka żółciowego wskutek kamicy.

W przypadku kamieni żółciowych skuteczna pomoc jest możliwa zawsze, nie trzeba czekać na dramatyczną kolkę.

Natychmiastowa pomoc w ostrej kolce
Bardzo gwałtowny ból, który pojawia się w wyniku ostrej kolki żółciowej, skłania chyba każdego pacjenta do natychmiastowego wezwania lekarza. Nie wolno w żadnym wypadku próbować się leczyć, zażywając środki, które mają jedynie zlikwidować ból.

Typowe leki przeciwbólowe dostępne bez recepty i tak zbyt słabo działają, aby uśmierzyć ten wyjątkowo silny ból, ale nawet jeśli w apteczce domowej znajduje się silny środek przeciwbólowy przepisany przez lekarza z innego powodu, gorąco odradzamy jego użycie. Wprawdzie mógłby stłumić ból związany z kolką, ale w ten sposób nie uzyska się wyzdrowienia, a ustąpienie bólu zwykle może znów spowodować odłożenie wizyty u lekarza na później.

Nie zażywać środków przeciwbólowych

Ale nawet jeśli wezwie się lekarza, rozpoznanie może być znacznie utrudnione z powodu wcześniejszego zażycia silnych środków przeciwbólowych, ponieważ zafałszowują one kliniczny obraz choroby. W najgorszym razie zagrażający życiu stan może zostać nierozpoznany na czas.

> Pozostaje nam tylko gorąco doradzić, żeby pomimo wprost niemożliwego do wytrzymania bólu związanego z kolką, trzymać się z dala od leków przeciwbólowych, które może przepisać wyłącznie lekarz po ustaleniu pewnego rozpoznania.

Na pytanie, czy powinno się od razu wezwać pogotowie ratunkowe, czy spróbować wcześniej skontaktować się z lekarzem rodzinnym, nie ma jednoznacznej odpowiedzi. Lekarz rodzinny lepiej zna swoich pacjentów, co często ułatwia rozpoznanie. Ale nie zawsze jest on do dyspozycji pacjenta – dotarcie do niego lub jego zastępcy może wiązać się z niepotrzebną stratą czasu. Lekarza pogotowia ratunkowego natomiast można wezwać w każdym momencie, dysponuje on lepszym wyposażeniem i ma wykształcenie dostosowane do takich ostrych, ciężkich chorób, być może też jest w stanie szybciej załatwić formalności związane z koniecznym w takiej sytuacji skierowaniem do szpitala. Oczywiście, lekarz rodzinny lub jego zastępca udzielą pomocy tak samo jak lekarz pogotowia ratunkowego. Trzeba się zdecydować na jedną z tych możliwości.

Pogotowie ratunkowe czy lekarz rodzinny

Osoby, które wiedzą, że chorują na kamicę żółciową i muszą się liczyć z ostrą kolką, powinny uzgodnić z lekarzem i rodziną, co trzeba czynić w takim przypadku. Osoby przygotowane na kolkę nie reagują panicznie i nie tracą czasu.

Po pewnym rozpoznaniu kamieni żółciowych, lekarz być może przepisze na wypadek kolki szybko działający lek, który oczywiście można wtedy przyjmować (dokładnie według zaleceń lekarza, ponieważ chodzi tu o silny lek mający znaczne skutki uboczne). Ale nawet jeśli w ten sposób uda się szybko przerwać napad bólu, trzeba następnego dnia udać się do lekarza, ponieważ może być konieczne dalsze leczenie.

Jeśli nie ma do dyspozycji żadnych przepisanych przez lekarza leków przeciw kolce, można do czasu przybycia lekarza złagodzić ból, stosując metody przyrodolecznicze.

Można złagodzić ból stosując metody przyrodolecznicze

Zasadniczo należy natychmiast położyć się do łóżka, przy czym pewne złagodzenie bólu można już uzyskać, podkurczając nogi i zginając górną część ciała.

Natychmiast leżenie w łóżku

Należy całkowicie powstrzymać się od jedzenia, dozwolonych jest tylko kilka filiżanek gorącej herbaty rumiankowej i miętowej (na przemian) pitych małymi łykami, które mają działanie przeciwkolkowe. Pacjenci z kamieniami żółciowymi powinni stale mieć w apteczce domowej zapas obu tych gatunków herbaty (najlepiej gotowej w torebkach) lub odpowiednich kropel z apteki, które przyjmuje się według sposobu użycia, z gorącą wodą.

Powstrzymać się od jedzenia

Kolkę można też złagodzić, stosując środki homeopatyczne, które nie zafałszowują obrazu klinicznego choroby, tak jak silne środki przeciwbólowe. Jako podstawowy środek zaleca się:

Homeopatyczne środki przeciwbólowe

- *Atropinum sulfuricum* D 6, w wielu przypadkach najskuteczniejszy środek homeopatyczny na gwałtowną kolkę.
- *Colocynthis* D 6, jeśli silnym skurczom towarzyszy pobudzenie do wymiotów i wzdęcia.

- *Magnesium phosphoricum* D 6 w gwałtownej kolce z silnym odbijaniem się.
- *Nux vomica* D 6, jeśli poza kolką występują jeszcze gorzki smak w ustach, pobudzenie do wymiotów, wzdęcia i obrzmienie wątroby.

Początkowo podaje się co 10–30 minut dawkę jednego lub kilku z tych środków homeopatycznych (według sposobu użycia dołączonego do leku), a po uzyskaniu poprawy co 1–2 godziny, aż do ustąpienia kolki.

Ze względu na to, że środki homeopatyczne mają najlepsze działanie, gdy dobierze się je indywidualnie, należy uzgodnić z lekarzem, które powinno się przyjmować w ostrej kolce żółciowej. Wszystkie one w postaci gotowych preparatów (tabletek, kropel, czopków) są dostępne w aptekach bez recepty.

Bardzo pomocna jest zazwyczaj także fizjoterapia. Gorące kompresy z siana na okolicę pęcherzyka żół- **Kompresy z siana** ciowego mogą często znacznie złagodzić kolkę dzięki miejscowemu przegrzaniu. Ponadto skuteczne okazały się dwa poniższe zabiegi, których działanie jest szczególnie dogłębne.

- *Gorący zwój*: potrzebny jest ręcznik, który składamy **Gorący zwój** wzdłuż, aby jego szerokość odpowiadała w przybliżeniu okolicy pęcherzyka żółciowego. Złożony ręcznik następnie zwija się, uzyskując swego rodzaju lejek, do którego tak długo leje się gorącą wodę, aż wszystkie warstwy zwoju całkowicie przesiąkną. Aby zapobiec oparzeniom, należy trzymać zwój dłonią w rękawiczce. Wilgotny i gorący zwój przykłada się teraz na okolicę pęcherzyka żółciowego pod prawym łukiem żebrowym. Na wierzch kładzie się suche prześcieradło, a na nie odpowiedniej wielkości tkaninę wełnianą. Gdy zwój ochłodzi się, na krótko odsłania się obydwie zewnętrzne tkaniny i rozwija nieco wilgotny ręcznik, aż dotrze się do jeszcze gorącego miejsca. Powtarza się to wielokrotnie, aż rozwinie się zwój do końca. Zabieg trwa w sumie około 60 minut i w razie potrzeby można go zaraz powtórzyć.

Kompres parowy

- *Kompres parowy*: składa się prześcieradło kilkakrotnie, tak by jego wielkość w przybliżeniu odpowiadała okolicy nad pęcherzykiem żółciowym. Takie złożone prześcieradło wkłada się na kilka minut do garnka z gotującą się wodą. Następnie wyciąga się je z wody drewnianymi szczypcami lub warząchwią i wyciska ręką w rękawicy z góry w dół. Przed nałożeniem owija się wilgotne i gorące prześcieradło w zwyczajną tkaninę flanelową, żeby zapobiec oparzeniom. Następnie przykłada się je na okolicę pęcherzyka żółciowego pod prawym łukiem żebrowym, na to kładzie się suche prześcieradło, a całkiem na wierzch tkaninę wełnianą. Nałożony kompres parowy pozostawia się przez 60–90 minut. W razie potrzeby ten zabieg można natychmiast powtórzyć.

W przypadku ewentualnego ropnego zapalenia pęcherzyka żółciowego trzeba zrezygnować z gorących zabiegów

Jeśli nie da się z całą pewnością wykluczyć ropnego zapalenia pęcherzyka żółciowego towarzyszącego niekiedy kolce żółciowej, na wszelki wypadek trzeba zrezygnować z gorących zabiegów w każdej formie, gdyż mogłyby przyśpieszyć przebicie ropy do jamy brzusznej.

Gorące wlewy dojelitowe

Niektórzy lekarze, będący również zwolennikami medycyny naturalnej, stosują w ostrej kolce żółciowej gorące wlewy dojelitowe, które mogą reflektorycznie poprzez układ nerwowy działać przeciwskurczowo. Inni wstrzykują w ramach leczenia neuralnego miejscowy Prokaina środek znieczulający (prokainę) w strefę refleksową pęcherzyka żółciowego na plecach lub pod prawym łukiem żebrowym. Do osiągnięcia przeciwskurczowego Akupunktura efektu przyczynić się też mogą akupunktura lub elektroakupunktura.

Wszystkie te środki uzupełniające muszą być jednak ordynowane przez lekarza i z tego względu nie będziemy ich tu bliżej opisywać.

Po ostrym napadzie kolki zaleca się przyjęcie leków Ostropest plamisty z ostropestem plamistym według sposobu użycia. Powinno się też pić wodę mineralną w dużych ilościach. Picie wody mineralnej w dużych ilościach Sprzyja to wydalaniu piasku żółciowego i małych kamieni. Trzeba jednak uzyskać zgodę lekarza oraz skonsultować się z nim w sprawie pochodzenia wody (w Niemczech ze źródeł w Bad Bertrich, Bad Kissingen lub Bad Mergentheim), żeby nie sprowokować nowego napadu kolki.

> W wielu przypadkach nie można się początkowo obejść bez silnych leków przeciwbólowych i przeciw-skurczowych. Pomimo potencjalnych skutków ubocz-nych ich użycie jest usprawiedliwione w tego typu ciężkich stanach bólowych. Dzięki ustaniu skurczu kamień albo dostanie się z powrotem do pęcherzyka żółciowego, albo może zostać wydalony w naturalny sposób przez jelita.

Leczenie długotrwałe i zapobieganie nawrotom

Należy koniecznie leczyć kamicę żółciową, bo jest ona potencjalnie pierwszym stadium przewlekłych zapa-leń pęcherzyka żółciowego, zwyrodnienia rakowego pęcherzyka żółciowego i innych, wcześniej wymienio-nych komplikacji – nawet jeśli nie wywołuje żadnych godnych wzmianki objawów i nigdy nie pojawia się kolka.

Należy koniecznie leczyć kamicę żółciową

Leczenie długotrwałe jest również konieczne, jeśli w trakcie napadu kolki wydalony został w naturalny sposób kamień pojedynczy, aby nie doszło do nawrotu, a więc do tworzenia się kamieni na nowo.

Najbezpieczniejszą metodą usuwania kamieni jest operacja. Nie usuwa się jednak w ten sposób przyczyn kamicy żółciowej, a więc może ponownie dojść do tworzenia się kamieni w zachowanym pęcherzyku żół-ciowym lub (w przypadku jego usunięcia) w drogach żółciowych. Nie ma gwarancji całkowitego wyleczenia po operacji, nadal może pojawiać się kolka i różne zaburzenia trawienia.

Operacja jest najbezpieczniejszą metodą usunięcia kamieni żółciowych

Z tego powodu należy zawsze starannie rozważyć ko-nieczność operacji. Nie ma przy tym żadnych kryteriów, które dotyczyłyby wszystkich pacjentów, zawsze trzeba

Należy jednak starannie rozważyć konieczność operacji

uwzględnić okoliczności związane z każdym indywidualnym przypadkiem. Poza intensywnością objawów powodowanych przez kamienie żółciowe, ważną rolę odgrywa także stan ogólny i wiek pacjenta. Niektórych pacjentów trzeba operować szybko, ponieważ grożą im poważne komplikacje, u innych operacja może wiązać się ze zbyt dużym ryzykiem. Zwykle należy najpierw spróbować leczenia zachowawczego (niechirurgicznego) i operować dopiero wtedy, gdy to leczenie długoterminowe okaże się niewystarczające.

Metody usuwania kamieni żółciowych

Chirurgiczne usunięcie kamieni żółciowych należy do zabiegów rutynowych, ryzyko niepowodzenia operacji jest niskie. Istnieją różne metody usuwania kamieni żółciowych. Zwykle praktykuje się następujące:

Wycięcie pęcherzyka żółciowego

• *Wycięcie pęcherzyka żółciowego*; klasyczna metoda, polegająca na usunięciu całego pęcherzyka żółciowego wraz ze znajdującymi się w nim kamieniami. Ten większy zabieg nie jest jednak w żadnym razie konieczny w każdym przypadku, a wielu pacjentów nie jest w ogóle możliwy z powodu złego stanu ogólnego.

Zmiażdżenie kamieni żółciowych

• *Zmiażdżenie kamieni żółciowych* jest metodą oszczędzającą, polegającą na próbie rozkruszenia kamieni w pęcherzyku żółciowym wprowadzonymi tam przyrządami np. elektrohydraulicznie. Kamienie mogą następnie być wydalone w naturalny sposób (jak piasek żółciowy). Podobnie jak w przypadku kamieni nerkowych w miażdżeniu kamieni żółciowych wykorzystuje się obecnie fale ciśnieniowe, które kieruje się z zewnątrz i skupia na pęcherzyku żółciowym. Mogą one skruszyć kamienie bez zabiegu chirurgicznego, ale postępowanie to nie jest jeszcze stosowane rutynowo.

Lekarz musi ocenić, czy zmiażdżenie kamieni jest w ogóle w danym przypadku wskazane. W każdym razie metoda ta nie zawsze może zastąpić klasyczne wycięcie pęcherzyka żółciowego.

Endoskopowe usunięcie kamieni

• *Endoskopowe usunięcie kamieni* polega na wprowadzeniu instrumentu chirurgicznego (endoskopu) od ujścia przewodu żółciowego wspólnego w dwunastnicy do miejsca, w którym umiejscowione są kamienie żółciowe. Następnie kamienie obejmuje się pewnego rodzaju kleszczami i wyciąga naturalną drogą. Zabieg ten wykonuje się głównie w przypadku pojedynczych, większych kamieni żółciowych, które jednak nie są na tyle duże, by musiały być rozkruszone.

W szerszym sensie do środków chirurgicznych można jeszcze zaliczyć *rozpuszczanie kamieni żółciowych*. Polega ono na wprowadzeniu do przewodu żółciowego sondy, ze specjalnym płynem do płukania. Płyn ten jest w stanie chemicznie rozpuścić niektóre kamienie żółciowe (przede wszystkim kamienie cholesterolowe). Skuteczność tego długiego i nieprzyjemnego leczenia jest jednak wątpliwa, grożą też poważne komplikacje (np. zapalenie pęcherzyka żółciowego).

Rozpuszczanie kamieni

Wątpliwa skuteczność

Ogólne stanowisko w sprawie chirurgicznego leczenia kamicy żółciowej można zrekapitulować następującymi słowami:

> Operacja tylko wtedy, gdy żadne inne leczenie nie jest możliwe lub gdy grożą komplikacje – jeśli tak, wówczas jak najszybciej, żeby ryzyko nie było zbyt wysokie.

Jeśli wydaje się, że środki chirurgiczne nie są konieczne lub nie można ich zastosować, potrzebne jest leczenie holistyczne prowadzone według zaleceń lekarza specjalisty. Chodzi w nim głównie o próbę farmakologicznego rozpuszczenia kamieni żółciowych. Jest to jednak możliwe tylko w przypadku często występujących kamieni żółciowych cholesterolowych, o ile nie są jeszcze silnie zwapniałe i/lub zmieszane z pigmentem.

Leczenie holistyczne

Aby zabieg farmakologicznego rozpuszczenia kamieni żółciowych mógł zakończyć się powodzeniem, muszą one zawierać przynajmniej 70% cholesterolu (im będzie go więcej, tym lepiej). Podstawowym i koniecznym warunkiem przeprowadzenia zabiegu jest też pełna sprawność pęcherzyka żółciowego i całkowicie drożne

Aby można było rozpuścić farmakologicznie kamienie żółciowe muszą się składać w co najmniej 70% (lepiej, gdy więcej) z cholesterolu

drogi żółciowe, a także prawidłowe funkcjonowanie wątroby i nerek.

Pierwotnie do rozpuszczania kamieni używano tylko *kwasu chenodezoksycholowego*, który jednak nie zawsze jest dobrze tolerowany. Obecnie częściej stosuje się lepiej tolerowany i tak samo skuteczny kwas ursodezoksycholowy. Najlepsze rezultaty uzyskuje się jednak, stosując kombinację kwasów chenodezoksycholowego (w małej dawce) i ursodezoksycholowego. Działanie obydwu tych kwasów polega na hamowaniu syntezy cholesterolu, a więc w wątrobie powstaje żółć o małej jego zawartości. Omywając kamienie cholesterolowe, rozpuszcza zawarty w nich cholesterol i kamienie zmniejszają się, a w końcu całkowicie zanikają, jeśli nie zostaną wcześniej w naturalny sposób wydalone poprzez jelita.

Farmakologiczne rozpuszczanie kamieni trwa jednak dłuższy czas (zależny od wielkości kamieni). Podczas gdy mały kamień cholesterolowy o średnicy około 5 mm można rozpuścić farmakologicznie w przeciągu 3–6 miesięcy, rozpuszczenie dwa razy większego może potrwać już 6–18 miesięcy, natomiast na kamień o średnicy 20 mm potrzeba nawet do 3 lat (farmakologiczne rozpuszczenie jeszcze większych kamieni jest niemalże niemożliwe).

W tak długim okresie czasu pacjent musi ciągle regularnie przyjmować lek, co 3–6 miesięcy poddawać się badaniom i w znosić wciąż pojawiające się napady bólu. Wielu nie wytrzymuje tego, więc leczenie nie zawsze kończy się sukcesem.

W przypadku prawidłowo przeprowadzonego leczenia długotrwałego jego skuteczność wynosi około 80%, u pozostałych 20% pacjentów należy liczyć się z ponownym tworzeniem się kamieni.

Aby można było wcześnie zdiagnozować powstawanie nowych kamieni i szybko je rozpuścić, należy do końca życia przynajmniej raz w roku wykonywać badania kontrolne.

Nie wyjaśniono jeszcze definitywnie kwestii, czy wskutek długotrwałego leczenia przy pomocy kwasu

Kwas chenodezoksycholowy

Kwas ursodezoksycholowy

Długi okres rozpuszczania

Skuteczność wynosi 80%

chenodezoksycholowego i związanych z nim zmian metabolizmu cholesterolowego wzrasta ryzyko zwapnienia tętnic. Nie można tego jednak z całą pewnością wykluczyć, a więc przynajmniej u starszych pacjentów chorujących już na stwardnienie tętnic wskazana jest ostrożność.

Czy ryzyko stwardnienia tętnic wzrasta

> Podsumowując, można zgodnie ze stanem naszych dotychczasowych doświadczeń stwierdzić, że powinno się podjąć próbę farmakologicznego rozpuszczenia kamieni żółciowych cholesterolowych, jeśli niewskazane jest leczenie chirurgiczne, a pacjenci są na tyle rzetelni, by można było przeprowadzić leczenie długotrwałe.

Jednakże leczenie to musi być częścią składową całościowej koncepcji terapii, która próbuje także usunąć przyczyny powstawania kamieni żółciowych.

Ogólne zalecenia terapii holistycznej obejmują przede wszystkim wystarczającą ilość ruchu, nie za obcisłe ubranie i regularne oddawanie stolca. W razie potrzeby można przejściowo zintensyfikować wypróżnienia, stosując łagodne środki przeczyszczające (w Niemczech sól z Bad Mergentheimer lub Karlsbad), należy jednak unikać ciągłego przyjmowania środków przeczyszczających ze względu na związane z tym ryzyko. Uregulowane oddawanie stolca powinna normalnie wywołać dostateczna ilość ruchu i pożywienie bogate w substancje balastowe.

Środki ogólne leczenia holistycznego

Kwestia *diety* w podstawowym leczeniu kamicy żółciowej jest sporna, szczególnie oficjalna medycyna często wątpi w jej celowość. Doświadczenie uczy jednak, że dzięki lekkiej diecie można korzystnie wpłynąć na przebieg choroby. W zasadzie dieta ta odpowiada sposobowi odżywiania przedstawionemu już w rozdziale dotyczącym zapalenia pęcherzyka żółciowego. Podstawowe jej zasady to:

Kwestia diety w podstawowym leczeniu kamicy żółciowej jest sporna

* spożywać tylko małe posiłki, powoli i gruntownie przeżuwając jedzenie,

Zasady diety

- dostarczać tyle kalorii, by nie dochodziło do przyrostu ciężaru ciała, a w przypadku nadwagi pod fachową opieką doprowadzić ciężar ciała do normy,
- nie spożywać w nadmiarze białka i przede wszystkim stosować umiarkowane ilości tłuszczu.

W leczeniu długoterminowym najodpowiedniejsza jest dieta lekka i pełnowartościowa, która pomimo ograniczeń zaopatruje organizm we wszystkie substancje odżywcze i witalne. Nie będziemy się nią ponownie zajmować.

Leki   Uzupełnieniem leków do rozpuszczania kamieni są *leki homeopatyczne* i *zioła*, które można też ewentualnie stosować same, jeśli nie jest możliwe farmakologiczne rozpuszczenie kamieni. Homeopatia zaleca w leczeniu długotrwałym przede wszystkim następujące środki podstawowe:

- *Berberis* D 6, wskazany szczególnie wtedy, gdy poza kamieniami żółciowymi stwierdza się jeszcze wysokie wartości kwasu moczowego z niebezpieczeństwem tworzenia się kamieni nerkowych.
- *Calculi biliarii* D 15 lub D 30, często bardzo skuteczny, gdy przez dłuższy czas przyjmuje się 1 dawkę dziennie. Ten środek homeopatyczny może ewentualnie spowodować, że organizm sam spróbuje rozpuścić kamienie żółciowe (nie tylko cholesterolowe).
- *Chelidonium* D 6, podstawowy środek w zapaleniach pęcherzyka żółciowego, może też być wskazany w przypadku kamieni żółciowych, przede wszystkim wtedy gdy występują podrażnienia dróg żółciowych, biegunka i żółtaczka.
- *Podophyllum* D 4 używany jest uzupełniająco w kamicy żółciowej z zastojem żółciowym, żółtawą skórą i skłonnością do zaparć.

Ostropest plamisty   Poza tym osłonowo na wątrobę, która w kamicy żółciowej jest zawsze zagrożona, wskazany może być ostropest plamisty, rozcieńczony według zasad homeopatii lub nierozcieńczony, w postaci gotowego leku roślinnego.

Szczególnie w przypadku kamieni żółciowych z obrzmieniem wątroby należy koniecznie podawać ostropest plamisty.

Ziołolecznictwo również ma do zaoferowania różne sprawdzone leki roślinne, które można zastosować w terapii uzupełniającej kamicy żółciowej. Zasadniczo ważne jest, by podawać takie rośliny lecznicze, które pobudzają żółciotok, aby kamienie były w naturalny sposób omywane i być może wypłukiwane. Ponadto w ten sposób zapobiega się też zapaleniom pęcherzyka żółciowego. Jeśli jednak kamień zablokuje drogi żółciowe, nie wolno podawać roślin leczniczych żółciopędnych. Skuteczne okazały się przede wszystkim:

Rośliny lecznicze pobudzające żółciotok

* *leki roślinne żółciopędne*, jak drapacz lekarski, bobrek trójlistkowy, dziurawiec pospolity, korzeń tataraku, czosnek i glistnik jaskółcze ziele, który działa też przeciwskurczowo,

Leki roślinne żółciopędne

* *leki roślinne przeciwzapalne*, przede wszystkim rumianek, ostropest plamisty (równocześnie osłaniający wątrobę) oraz krwawnik pospolity,

Rośliny lecznicze przeciwzapalne

* *zioła przeciwwzdęciowe*, szczególnie anyż, koper włoski i kminek.

Zioła przeciwwzdęciowe

Ponadto można też zastosować rośliny lecznicze o ogólnie korzystnym działaniu na pęcherzyk żółciowy i czynności trawienne jak goryczka, mniszek pospolity i mięta pieprzowa.

Goryczka, mniszek pospolity i mięta pieprzowa

Aby zawsze dostarczać dawki koniecznej do skutecznego działania, nie powinno się spożywać herbat z niepewną zawartością substancji czynnych, lecz wyłącznie leki gotowe ze stałą zawartością tych substancji – według zaleceń lekarza. Zazwyczaj zawierają one kilka z wymienionych powyżej ziół, które wzajemnie się uzupełniają i wzmacniają swoje działanie.

Kuracje rzodkwią i oliwą za pomocą soku z czarnej rzodkwi i oliwy wywołują silny bodziec, znacznie zwiększa się żółciotok i mięśniówka pęcherzyka żółciowego może wyprzeć kamienie żółciowe. Ma to jednak sens tylko w przypadku piasku żółciowego i małych kamieni, które mogą w naturalny sposób przejść przewodem

Kuracje rzodkwią i oliwą

żółciowym i być wydalone ze stolcem. Może przy tym pojawić się kolka trwająca aż do momentu, gdy kamień dostanie się do jelita. Gwałtowna kolka występuje, gdy kamień jest zbyt duży i zablokuje się w drogach żółciowych.

Ewentualna kolka zasadniczo nie jest przeciwwskazaniem dla „oczyszczenia" układu żółciowego z piasku i kamieni za pomocą kuracji rzodkwią i oliwą. Jednakże ta opisana już wcześniej kuracja nie nadaje się do celów samopomocy. Można spróbować tego starego środka domowego tylko wtedy, gdy lekarz wyrazi zgodę i zapobiegawczo od razu przepisze lek o działaniu przeciwskurczowym i przeciwbólowym, który zażywa się przed wypiciem soku z rzodkwi z oliwą.

> Surowo zabroniona jest kuracja rzodkwią i oliwą w przypadku występowania większych kamieni i w ropnych zapaleniach pęcherzyka żółciowego.

Również lekarz decyduje o tym, jak często przyjmować rzodkiew z oliwą i czy kuracja ta dozwolona jest także jako zapobiegająca nawrotom po usunięciu lub rozpuszczeniu kamieni.

Podejrzane bryłki w stolcu

Po leczeniu oliwą nierzadko znajduje się w stolcu podobne do kamieni bryłki, które uważa się za „dowód" skuteczności kuracji. Rzeczywiście, może chodzić o wyparte kamienie żółciowe. Często jednak pierwsze wrażenie jest mylne, w trakcie dokładnego badania okazuje się, że te bryłki składają się ze stwardniałych kulek kału, które zgromadziły się w jelitach i zostały wydalone w wyniku kuracji rzodkwią i oliwą. Takie kamienie jelitowe lub kałowe wskazują na ewentualne uwypuklenia w ścianie jelita (uchyłki), a więc zalecane jest szybkie przeprowadzenie badań.

Fizjoterapia

Fizjoterapia stanowi uzupełnienie leczenia długoterminowego. Służy zapobieganiu kolce i polepszeniu sprawności czynnościowej układu żółciowego. Odpowiednie są wszystkie zabiegi gorące na prawym nadbrzuszu nad pęcherzykiem żółciowym, przede wszystkim kompresy z siana oraz borowiny, które zostały już szczegółowo opisane.

Ponadto odpowiednie są kąpiele trzy czwarte o temperaturze ok. 38°C z dodatkiem z siana, wykonywane 2–3 razy tygodniowo. Kąpiel trwa za każdym razem 15 minut. Jeśli u wrażliwych osób wystąpią dolegliwości sercowe i zaburzenia krążenia (np. zawroty głowy), należy zrezygnować z tego leczenia kąpielą.

Kąpiel trzy czwarte z dodatkiem siana

Lekarze, zwolennicy medycyny naturalnej leczą niekiedy przewlekłą kamicę żółciową za pomocą stawiania baniek i/lub terapii neuralnej w strefach refleksowych pęcherzyka żółciowego – przede wszystkim w górnej części grzbietu. W ten sposób wywoływana jest bodziec, który przedostaje się ze stref refleksowych przez układ nerwowy do pęcherzyka żółciowego, usprawnia jego czynność i może zapobiegać kolce.

Stawianie baniek i terapia neuralna

Podobne działanie mają akupunktura i elektroakupunktura wykonywane w określonych punktach, które terapeuta musi dokładnie zlokalizować. Lecznicze oddziaływanie igłami, prądem, niekiedy też promieniami laserowymi na te punkty na skórze, według wyobrażeń medycyny chińskiej harmonizuje energię pęcherzyka żółciowego, a tym samym wspomaga jego działanie i często chroni przed ostrą kolką.

Akupunktura

Wreszcie w ramach leczenia uzupełniającego wskazane może być jeszcze odbudowanie pożytecznej flory bakteryjnej jelit. Często w kamicy żółciowej występują zaburzenia flory bakteryjnej, sprzyjające między innymi przewlekłym zaparciom, których należy unikać, gdy się ma kamienie żółciowe. Zazwyczaj gdy flora bakteryjna jest zmieniona, w jelicie znajdują się szkodliwe zarazki, które dostają się do pęcherzyka żółciowego przez ujście przewodu żółciowego wspólnego i mogą powodować powstawanie stanów zapalnych. Terapeuta, odtwarzając normalną florę bakteryjną jelit za pomocą bakteryjnego kierowania symbiozą, zapobiega tego typu skutkom.

Odbudowa flory bakteryjnej jelit

Rak pęcherzyka żółciowego i dróg żółciowych

Rak wieku starczego

Częściej wśród kobiet

Guzy złośliwe w układzie żółciowym to przeważnie rak wieku starczego, który zazwyczaj zaczyna się rozwijać po 60 roku życia. Rak pęcherzyka żółciowego występuje u kobiet około 5 razy częściej niż u mężczyzn. Rak dróg żółciowych występuje u mężczyzn wyjątkowo tylko trochę częściej niż u kobiet, jednakże stosunkowo rzadko jako guz pierwotny. W większości przypadków chodzi wtedy o przerzuty, zwykle pochodzące od nowotworu pęcherzyka żółciowego lub wątroby.

Niepomyślne rokowania

Rokowania w chorobie nowotworowej układu żółciowego są bardzo niepomyślne. Wynika to w pierwszym rzędzie z tego, że zazwyczaj guzy powodują odczuwalne dolegliwości dopiero w zaawansowanym stadium, a wówczas istnieją już często przerzuty. Ponadto możliwości chirurgii w tym przypadku są znacznie ograniczone, ponieważ warunki anatomiczne zwykle nie pozwalają na radykalne usunięcie guza.

Przewidywana długość życia to 4–6 miesięcy

W przypadku wczesnego rozpoznania możliwe jest całkowite wyleczenie

Z tego powodu przeciętna przewidywana długość życia w przypadku późnego rozpoznania to zazwyczaj tylko około 4–6 miesięcy. Dłużej niż 1 rok po rozpoznaniu żyje tylko około 10% pacjentów. Jeśli jednak rak zostanie rozpoznany wcześnie (często przypadkowo) i nie będzie leczony jedynie metodami medycyny akademickiej, lecz także całościowo metodami przyrodoleczniczymi, można uzyskać całkowite wyleczenie. Z tego względu szczególnie pacjenci z grupy wysokiego ryzyka powinni regularnie w krótkich odstępach czasu poddawać się badaniom układu żółciowego, a nie dopiero, gdy dolegliwości staną się odczuwalne.

Czynniki ryzyka raka dróg żółciowych

Spowodowane przez geny?

Od niedawna badania nad ludzkimi genami nabrały rozpędu. Zaowocowały one już kilkoma wnioskami świadczącymi o tym, że w przypadku zachorowań na raka mogą odgrywać rolę także niekorzystne predyspozycje zapisane w genomie. Nie można jeszcze odpowiedzieć na pytanie, czy dotyczy to wszystkich chorób nowotworowych czy tylko niektórych. Nie ustalono też jeszcze, czy geny przyczyniają się także do powstania raka pęcherzyka żółciowego i dróg żółciowych, ale nie można tego wykluczyć. Szczególnie gdy w rodzinie wystąpił już rak w układzie żółciowym, może istnieć podwyższone ryzyko uwarunkowane predyspozycjami dziedzicznymi.

Innym, w przeciwieństwie do teorii genów już ustalonym czynnikiem ryzyka jest skłonność płciowa, którą omówiono wcześniej. Prowadzi ona z niedających się jeszcze ostatecznie wyjaśnić powodów do tego, że choroby układu żółciowego występują u kobiet 2–6 razy częściej niż u mężczyzn. Dotyczy to także raka pęcherzyka żółciowego. Niewyjaśnionym odstępstwem od tej reguły jest jedynie rak dróg żółciowych. Dotyka on nieco częściej mężczyzn niż kobiet, jednakże różnica w częstości jego występowania nie jest tak duża, by można było mówić o faktycznej skłonności płciowej.

Skłonność płciowa

Nie można jeszcze z całą pewnością ocenić, jak silnie czynniki dziedziczne i płeć wpływają na ryzyko raka dróg żółciowych. Przypuszczalnie można założyć, że te czynniki nie mogą wywołać raka układu żółciowego, lecz jedynie stwarzają dla niego korzystniejsze warunki pierwotne. Duże niebezpieczeństwo występuje prawdopodobnie dopiero wtedy, gdy pojawią się kolejne czynniki ryzyka.

Stwarzają korzystne warunki pierwotne

Jednoznaczny jest natomiast bezpośredni związek między rakiem pęcherzyka żółciowego i wcześniejszymi chorobami układu żółciowego, z których najważniejsza to przewlekła kamica żółciowa, podwyższająca ryzyko zachorowania na raka pęcherzyka żółciowego około 17-krotnie. Podobnie wysokie zagrożenie nowotworem istnieje też w przypadku przewlekłego zapalenia pęcherzyka żółciowego.

Przewlekła kamica żółciowa

Przewlekłe zapalenie pęcherzyka żółciowego

Niebezpieczeństwo powodowane przez kamienie żółciowe i zapalenie pęcherzyka żółciowego oceniane jest przez specjalistów tak wysoko, że określają oni przewlekłe przebiegi tych dwóch chorób jako stany

Jednoznaczne choroby przedrakowe

przedrakowe (choroby przedrakowe), które muszą być regularnie kontrolowane, aby można było jak najwcześniej rozpoznać i leczyć zwyrodnienie nowotworowe.

Zgodnie z obecnym stanem wiedzy przewlekła kamica żółciowa i zapalenie pęcherzyka żółciowego jako jednoznaczne choroby przedrakowe są najważniejszymi czynnikami ryzyka raka układu żółciowego. Oznacza to również, że ryzyko nowotworu można zmniejszyć, konsekwentnie lecząc takie choroby aż do całkowitego wyzdrowienia lub w przypadku stanów nieuleczalnych, usuwając chirurgicznie pęcherzyk żółciowy.

Brakuje jednak dokładnych danych, czy i w jakim stopniu dzięki operacyjnemu usunięciu pęcherzyka żółciowego można zapobiec rakowi w zachowanych częściach układu żółciowego. Z całą pewnością można w ten sposób uniknąć raka pęcherzyka żółciowego, ponieważ w organizmie nie ma już tego organu, ale rak może się rozwijać w drogach żółciowych. Można jednak obniżyć to ryzyko, stosując holistyczno-naturalne leczenie po operacji.

Objawy i przebieg choroby nowotworowej

Około 75% wszystkich przypadków raka układu żółciowego dotyczy pęcherzyka żółciowego, pozostałe występują w drogach żółciowych. Najczęściej guz umiejscowiony jest na szyjce pęcherzyka żółciowego, niekiedy też na jego tylnej ścianie i w innych miejscach.

Szczególnie nowotwory na szyjce pęcherzyka żółciowego przechodzącego w przewód żółciowy mają skłonność do rozrastania się w krótkim czasie przez ścianę narządu do swojego otoczenia. Przede wszystkim rozrastają się do wątroby i tworzą tam raka wątroby wtórnego, ale nierzadko zajmowana jest dwunastnica lub żołądek.

Poza rozrostem miejscowym do najbliższego otoczenia rak pęcherzyka żółciowego może też już dość wcześnie dawać przerzuty do regionalnych węzłów chłonnych. Wówczas naczyniami chłonnymi komórki potomne rozsiewają się do odległych obszarów ciała. Takie przerzuty nowotworowe oddalone występują często na kręgosłupie, w płucach i w opłucnej żebrowej. Po zajęciu naczyń chłonnych bardzo szybko oddala się perspektywa wyzdrowienia.

Około 1/3 wszystkich przypadków raka pęcherzyka żółciowego przez długi czas nie powoduje objawów, można go rozpoznać co najwyżej przypadkowo w trakcie badań przeprowadzanych z zupełnie innego powodu. Ale nawet wtedy, gdy występują objawy, pozostają przez długi czas tak nieznaczne i niejasne, że nie wykonuje się ukierunkowanych badań i traci się możliwość przeprowadzenia w odpowiednim czasie skutecznego leczenia. Za możliwe objawy ostrzegające przed rakiem pęcherzyka żółciowego uważa się przede wszystkim:

Objawy ostrzegające przed rakiem pęcherzyka żółciowego

- Ogólne odczucie choroby, z ciągłym zmęczeniem, słabością i apatią oraz zwracającą uwagę bladością wskutek niedokrwistości.
- Ciągły brak apetytu i wyraźnie postępująca utrata ciężaru ciała.
- Tępe, właściwie niebolesne, często nawracające lub (zazwyczaj) stale występujące uczucie ucisku w prawym nadbrzuszu.
- W trakcie naciskania okolicy pęcherzyka żółciowego występuje bolesność uciskowa, można wyczuć dotykiem powiększony pęcherzyk żółciowy. Niekiedy czuje się z zewnątrz niebolesny guz w pęcherzyku żółciowym, w przypadku przerzutów do wątroby także w niej może być wyczuwalny twardy, bulwiasty guz.
- Zaburzenia czynności trawiennych, przede wszystkim pobudzenie do wymiotów, czasami wymioty, częste nudności, skłonność do wzdęć i zaparć lub biegunka.
- Żółtawe zabarwienie twarzy (ale nie zawsze), często w połączeniu ze świądem skóry. W zaawansowanych przypadkach skóra sprawia wrażenie żółtawo-zielonej, później żółtozielonoczarniawej i bladej. Mogą się też tworzyć czyraki, które wskutek drapania przenoszone są do odległych rejonów skóry.

Nie są to jednak
pewne oznaki

Nie są to jednak pewne oznaki raka pęcherzyka żółciowego, w ten sposób objawiają się też inne choroby (np. przewlekłe zapalenie pęcherzyka żółciowego). Dokładne rozpoznanie można ustalić dopiero po wykonaniu specjalistycznych badań, polegających na wprowadzeniu do jamy brzusznej endoskopu w celu obserwacji pęcherzyka żółciowego.

Rak dróg żółciowych

Wyróżnia się dwie postacie raka dróg żółciowych, powstającego przeważnie w przewodzie żółciowym wspólnym. W jednej rozwija się nowotwór, który rozrastając się rozciąga się w głąb przewodu żółciowego. Inna postać prowadzi do pogrubienia ściany zajętego przewodu żółciowego, które nie następuje powierzchownie w błonie śluzowej, lecz głębiej w warstwie mięśni przewodu żółciowego. Przewód żółciowy twardnieje, staje się sztywny i kurczy się, rak dalej rozrasta się w warstwie mięśni.

Długi czas bez objawów

Również rak dróg żółciowych w części przypadków przez długi czas nie powoduje objawów i wskutek tego jest zbyt późno rozpoznawany. Pojawiają się też guzy, które mimo jeszcze niewielkich wymiarów powodują niedrożność dróg żółciowych, co prowadzi do przewlekłej żółtaczki, która wkrótce kończy się zgonem.

Przede wszystkim u starszych osób, aż do uzyskania wyników badań, jako możliwy objaw raka dróg żółciowych należy traktować każdą dłużej trwającą żółtaczkę, która rozpoczyna się stopniowo i wreszcie staje się bardzo intensywna. Zasada ta obowiązuje, szczególnie gdy pacjenci cierpieli już na kamicę żółciową z kolką i następnie przez dłuższy czas przed pojawieniem się żółtaczki nie odczuwali żadnych dolegliwości.

Objawy raka dróg
żółciowych

Objawy raka dróg żółciowych są w części przypadków niejasne. Poza żółtaczką, która jednak nie musi wystąpić już we wczesnym okresie choroby, o raku może świadczyć przede wszystkim chudnięcie z niejasnego powodu, brak apetytu, ciągłe znużenie i osłabienie, niekiedy też kolka żółciowa. Do tego dochodzą ogólne zaburzenia trawienia jak w raku pęcherzyka żółciowego.

Wskutek zastoju żółci pęcherzyk żółciowy może być silnie rozdęty i wówczas jest wyczuwalny dotykiem z zewnątrz jako wyraźnie większy i naprężony. Jeśli jednak wskutek wcześniejszego przewlekłego zapalenia pęcherzyka żółciowego lub kamieni żółciowych pęcherzyk żółciowy skurczył się, często nie jest wyczuwalny jako powiększony.

Rak pierwotny dróg żółciowych ma skłonność do wczesnego rozrostu do swego otoczenia. Przede wszystkim w wątrobie powstaje rak wtórny (przerzutowy) – w wielu przypadkach nawet przed ustaleniem rozpoznania. Zazwyczaj dochodzi też wcześnie do zajęcia regionalnych węzłów chłonnych, które się powiększają. Szansa przeżycia jest wówczas niewielka.

Często w wątrobie powstaje rak wtórny (przerzutowy)

Profilaktyka – wczesne rozpoznanie

Nie istnieje stuprocentowa profilaktyka raka pęcherzyka żółciowego i dróg żółciowych. Nie oznacza to jednak, że nie powinno się spróbować zminimalizować ryzyko pojawienia się tej choroby. Szczególnie gdy w rodzinie wystąpiły już przypadki raka układu żółciowego, należy wcześnie rozpocząć profilaktykę.

W ramach ogólnych środków profilaktycznych raka dróg żółciowych zaleca się zdrowe odżywianie, które powinno zapobiegać uszkodzeniu układu wątroby i dróg żółciowych i wspomagać jego sprawność czynnościową. Ten sposób odżywiania wymaga przestrzegania zasad wspomnianej już wcześniej diety pełnowartościowej, która opracowana została głównie przez dr. Birchera-Bennera i prof. Wernera Kollatha.

Zdrowe odżywianie

Bardziej szczegółowe przedstawienie tych form odżywiania wykracza poza ramy tej książki. W sklepach ze zdrową żywnością i księgarniach jest wystarczająco dużo literatury na ten temat. Zasadniczo zdrowa dieta to dieta wegetariańska, uzupełniona ewentualnie chudymi wyrobami mięsnymi spożywanymi w umiarkowanych ilościach co 2–3 dni. Poza tym trzeba zważać na to, by co najmniej 30% (lepiej 50%) codziennej porcji żywności było dostarczane w formie „żywych" surowych produktów żywnościowych, które wspomagają ogólnie, na różne sposoby zdrowie i wystarczająco zaopatrują organizm w substancje witalne. W zdrowym odżywianiu powinno się w miarę możliwości całkowicie unikać węglowodanów przetworzonych, takich jak cukier, słodycze i przetwory z białej mąki, dostarczających prawie wyłącznie „pustych" kalorii – niemal bez substancji witalnych.

Już przestrzeganie tych kilku podstawowych zasad sprawi, że odżywianie stanie się zdrowsze i zapobiegnie się wielu chorobom (także rakowi). Specjalnie w profilaktyce raka układu żółciowego powinno się dodatkowo przestrzegać następujących reguł:

• Unikać nadwagi, stosując dietę niskokaloryczną, doprowadzić łagodnie do normy ciężar ciała w przypadku znacznej nadwagi przez stosowanie diety pełnowartościowej, ponieważ osoby z nadwagą częściej cierpią na choroby wątroby i dróg żółciowych.

• Znacznie zredukować (do ok. 50–60 g tłuszczu na dobę) typowe, zbyt obfite spożycie tłuszczu, które znacznie obciąża czynności układu żółciowego (ograniczyć szczególnie spożycie tłuszczów zwierzęcych).

• Nie spożywać potraw smażonych na/w tłuszczu i pieczonych, które także mogą przyczynić się do przeciążenia wątroby i chorób układu żółciowego.

• Jeśli nie udaje się całkowicie zrezygnować z kawy ziarnistej i alkoholu, pić je tylko w umiarkowanych ilościach, okazjonalnie.

Wziąwszy pod uwagę aspekt żywieniowy, ścisłe przestrzeganie tych dodatkowych zaleceń będzie praktycznie najlepszą profilaktyką chorób układu żółciowego. Oczywiście nie wystarczy stosować się tylko do kilku z powyższych reguł, a resztę ignorować. W odżywianiu, podobnie jak w leczeniu, obowiązuje zasada całościowego podejścia do problemu, aby więc osiągnąć optymalny skutek, należy wyeliminować wszelkie błędy odżywiania się typowego dla naszej cywilizacji.

Ponadto istotne może być pobudzenie czynności układu żółciowego, a szczególnie polepszenie odpływu i zwiększenie produkcji żółci, aby cały układ wątroby i dróg żółciowych został dokładnie „przepłukany". Zasadniczo bardzo dobrze nadaje się do tego opisana wcześniej kuracja rzodkwią i oliwą. Ale nawet jeśli kurację tę przeprowadza się w ramach profilaktyki, najpierw należy skonsultować ją z lekarzem. Na ogół kurację rzodkwią i oliwą przeprowadza się dwa razy w roku, każdorazowo przez 2–3 tygodnie, co jest wystarczającą profilaktyką. Można też po prostu regularnie spożywać dużo rzodkwi, co również bardzo dobrze wpływa na stan dróg żółciowych.

Kuracja rzodkwią i oliwą

Inną drogę zapobiegania nowotworowi wyznacza znany fakt, że rak układu żółciowego występuje w przewlekłej kamicy żółciowej i zapaleniu pęcherzyka żółciowego jako odległe ich następstwo. Takie choroby, które należy traktować jako stan przedrakowy, powinno się koniecznie wcześnie wyleczyć, stosując terapię holistyczno-naturalną.

Jeśli nie uda się doprowadzić tymi metodami do wyzdrowienia, mniejszym złem może być chirurgiczne usunięcie przewlekle chorego pęcherzyka żółciowego. Nie wolno odkładać na później tego zabiegu, jeśli wydaje się nieunikniony, ponieważ im dłużej występuje przewlekły bodziec wywołany zapaleniem lub kamicą żółciową, tym bardziej wzrasta prawdopodobieństwo rozwinięcia się choroby nowotworowej. Przewlekłe dolegliwości trawienne, które niekiedy występują po chirurgicznym usunięciu pęcherzyka żółciowego, można usprawiedliwić, jeśli w ten sposób uniknie się raka.

Usunięcie przewlekle chorego pęcherzyka żółciowego

Jednakże nadal rak może rozwinąć się w zachowanych drogach żółciowych, bo nawet zabieg operacyjny nie daje całkowitej pewności. Za to po usunięciu nieuleczalnie uszkodzonego pęcherzyka żółciowego ryzyko zachorowania na raka pęcherzyka żółciowego jest równe zeru.

W dyskusji na temat oceny chirurgicznego usunięcia pęcherzyka żółciowego nie można jednak zapominać, że rak z punktu widzenia medycyny naturalnej stanowi przede wszystkim chorobę ogólną organizmu, charakteryzującą się zaburzeniami komórkowej przemiany materii i osłabieniem odporności. Oczywiście, usuwając pęcherzyk żółciowy, nie można pozbyć się tych zasadniczych przyczyn, choroba nowotworowa może zaatakować inny układ narządów. Uda się tego uniknąć, jeśli po operacji zostanie przeprowadzone holistyczne leczenie uzupełniające, które redukuje również ogólne ryzyko raka.

> Nawet jeśli nie jest możliwa całkowicie pewna specyficzna profilaktyka raka układu żółciowego, mamy wystarczająco dużo możliwości znacznego zredukowania ryzyka pojawienia się choroby nowotworowej.

Konieczne do osiągnięcia tego celu postępowanie lecznicze powinno się w każdym przypadku omówić z doświadczonym terapeutą.

Wczesna diagnoza

W ramach oferowanego przez kasy chorych programu profilaktyki raka nie wykonuje się powszechnie corocznych badań służących wczesnej diagnozie raka układu żółciowego. Również w przyszłości nic się nie zmieni w tej sprawie, ponieważ metody diagnostyczne są zbyt kosztowne, by można je było włączyć do tego rutynowego programu. Ale oczywiście nie oznacza to, że lekarz w uzasadnionym pojedynczym przypadku nie może regularnie badać układu żółciowego w celu rozpoznania raka we wczesnym stadium, jeszcze zanim zacznie on powodować dolegliwości.

Pacjenci u których ryzyko raka jest wysokie

Pacjenci, u których ryzyko raka jest wysokie, powinni zadbać o to, by przynajmniej raz w roku poddać się takim badaniom.

W pierwszym rzędzie dotyczy to następujących grup osób:

- wszystkie osoby chorujące obecnie lub wcześniej na zapalenie pęcherzyka żółciowego i/lub kamienie żółciowe,

- pacjenci od około 45 roku życia, którzy mogą być obciążeni genetycznie, bo w rodzinie był już przypadek raka układu żółciowego,

- jako szczególna grupa ryzyka – kobiety, które przekroczyły 45 rok życia, jeśli chorują obecnie lub chorowały wcześniej na wątrobę i dróg żółciowych, zwłaszcza, jeśli występuje dodatkowo obciążenie rodzinne.

Ponadto badania układu żółciowego powinny częściej wykonywać osoby z nadwagą i chore na cukrzycę. Wprawdzie nadwaga i cukrzyca nie należą do bezpośrednich przyczyn raka, ale po części sprzyjają chorobom wątroby i dróg żółciowych, z których ostatecznie może rozwinąć się rak.

Nadwaga i cukrzyca

Pozostali, nienależący do żadnej z powyższych grup, nie muszą na ogół wykonywać regularnych badań profilaktycznych przeciw rakowi dróg żółciowych. Jednak po przekroczeniu wieku średniego, a najpóźniej od 60 roku życia, wskazane jest, aby również przynajmniej za pomocą diagnostyki krwi przeprowadzali kontrolę czynności wątroby i dróg żółciowych w ramach corocznego badania ogólnego. Wprawdzie nie jest to specjalne badanie na raka dróg żółciowych, ale można na jego podstawie uzyskać wskazówki dotyczące zaburzeń czynności układu wątroby i dróg żółciowych, które to zaburzenia niekiedy mogą później prowadzić do raka.

Od 60 roku życia powinno się za pomocą diagnostyki krwi kontrolować czynności wątroby i dróg żółciowych

Holistyczne leczenie raka

Jeśli nowotwór w układzie żółciowym rozpoznano wcześnie, można jeszcze zastosować skuteczne leczenie chirurgiczne, polegające na usunięciu pęcherzyka żółciowego, a niekiedy dodatkowo regionalnych węzłów chłonnych, i w jak największym stopniu wyeliminować ryzyko nawrotów. We wczesnym stadium raka szanse wyzdrowienia są jeszcze duże.

Jednak nie można oczekiwać po samej operacji zupełnego wyleczenia, nawet jeśli zostanie całkowicie usunięty guz. Oczywiście, nie można usunąć chirurgicznie

Nie można oczekiwać po operacji całkowitego wyleczenia

zasadniczych z punktu widzenia medycyny naturalnej przyczyn choroby nowotworowej – zaburzeń przemiany materii w komórce oraz osłabienia odporności.

Leczenie uzupełniające holistyczno-naturalne

Z uwagi na to, po operacji musi być przeprowadzone leczenie uzupełniające holistyczno-naturalne, które docelowo ukierunkowane będzie na przyczyny zasadnicze. Składa się ono głównie z diety stosowanej w przypadku raka oraz z podwyższenia odporności organizmu. Przemiana materii w komórkach powinna ulec normalizacji, a obrona organizmu wzrosnąć do takiego poziomu, by natychmiast zniszczyła obecne jeszcze w ustroju i nowo powstające zwyrodniałe komórki, zanim się z nich rozwinie rak.

Ze względu na to, że takie leczenie uzupełniające metodami medycyny naturalnej zwalcza przyczyny wszystkich chorób nowotworowych, nie musi być specjalnie dostosowywane do układu żółciowego. Dodatkowo obowiązują zasady dokładnie już opisane w terapii podstawowej raka wątroby.

> Radykalne usunięcie nowotworu i regionalnych węzłów chłonnych we wczesnym stadium, uzupełnione długotrwałym leczeniem metodami medycyny naturalnej, stwarza największą szansę na całkowite wyzdrowienie. Dlatego tak ważne jest rozpoznanie raka układu żółciowego we właściwym czasie.

W razie zbyt późnego rozpoznania szanse wyzdrowienia szybko maleją

Jak już wcześniej wspomniano, w wielu przypadkach raka dróg żółciowych stwierdza się dopiero w bardziej zaawansowanym stadium, niekiedy gdy rozrasta się już do otoczenia lub pojawiły się przerzuty nowotworowe oddalone. Wówczas szanse wyzdrowienia szybko maleją. Często w takich przypadkach nie jest już możliwa operacja lub całkowite usunięcie guza. Medycyna akademicka

Naświetlanie i cytostatyki

zaleca wtedy radioaktywne napromieniowanie i/lub leki hamujące wzrost komórek (cytostatyki).

Korzyści z takiego leczenia są jednak bardzo kontrowersyjne (nie tylko w przypadku raka dróg żółciowych).

Stosując takie leczenie prawie nigdy nie uzyskuje się dłuższej poprawy lub wyzdrowienia. Wprawdzie przewidywana długość życia ulega nieznacznemu wydłużeniu, ale często za cenę poważnych skutków ubocznych, które mają niekorzystny wpływ na jakość życia w (być może) zyskanych miesiącach. Zazwyczaj w trakcie takiego leczenia odporność dalej słabnie i terapia metodami medycyny naturalnej nie może właściwie zadziałać.

O tym, czy pomimo tych zastrzeżeń wskazana jest próba z promieniowaniem i/lub cytostatykami, powinien zadecydować doświadczony lekarz, znający i stosujący metody medycyny naturalnej.

Z zasady bardziej korzystne okazuje się w zaawansowanych przypadkach prowadzenie leczenia tylko przy pomocy metod przyrodoleczniczych wymienionych we fragmencie tekstu dotyczącym raka wątroby i dodatkowo w razie potrzeby podawanie leków przeciwbólowych. Niekiedy udaje się dzięki takiemu leczeniu powstrzymać przez dłuższy czas dalszy rozrost raka lub uzyskać częściowe cofnięcie się guza, a nawet całkowite wyzdrowienie. Leczenie takie nie ma poważnych działań ubocznych, więc nie ogranicza jakości życia.

W wielu przypadkach bardziej korzystne jest leczenie metodami przyrodoleczniczymi

> To, czy choremu na raka uda się przezwyciężyć tę ciężką chorobę, czy też ona zwycięży, zależy głównie od woli życia chorego. Dobre psychologiczne prowadzenie w dużym stopniu pomaga – pomimo choroby nowotworowej – sensownie i zadowalająco ukształtować pozostały czas życia.

Wieloznaczna żółtaczka

Choroba niesamodzielna Żółtaczka nie jest samodzielną chorobą, lecz może być objawem wielu różnych chorób. Nie zawsze muszą to być choroby układu wątroby i dróg żółciowych – żółtaczkę mogą wywoływać również przyczyny pochodzące spoza tego układu narządów.

Żółtaczkę powoduje zawarty w żółci barwnik, który Bilirubina nazywamy bilirubiną. Ten produkt degradacji czerwonych krwinek oddawany jest zazwyczaj wraz z żółcią do jelita i wydalany ze stolcem. Niewielka jego część (do 2 mg/100 ml) znajdująca się we krwi jest transportowana do nerek i wydalana z moczem.

Gdy zawartość bilirubiny we krwi wzrośnie powyżej 2 mg/100 ml, barwnik żółci dostaje się poprzez naczynia do tkanki. Zewnętrznie można to łatwo rozpoznać po żółtym zabarwieniu skóry i śluzówki oraz po „bieli" oczu. Zmienia się też barwa stolca, który staje się jaśniejszy, oraz moczu, który najczęściej ciemnieje i przybiera kolor brązowy. Zwykle żółtaczkę rozpoznaje się najpierw po oczach, a dopiero później po skórze. Stan podżółtaczkowy W przypadku lekkiej żółtaczki (stan podżółtaczkowy) żółte zabarwienie może ograniczyć się jedynie do twardówki oka.

W trakcie żółtaczki najpierw do krwi, a następnie do tkanek poza bilirubiną dostają się w większych ilościach kwasy żółciowe. Ich nagromadzenie w skórze wywołuje świąd o różnym nasileniu.

Ze względu na przyczyny zasadnicze rozróżnia się trzy podstawowe postacie żółtaczki. Należy do nich żółtaczka mechaniczna pozawątrobowa, żółtaczka wątrobowa oraz żołtaczka hemolityczna (przedwątrobowa). Poza tym występuje jeszcze kilka postaci specjalnych, które zostaną omówione później.

Żółtaczka mechaniczna pozawątrobowa

Ta częsta postać żółtaczki jest dla laików z zakresu medycyny najłatwiejsza do zrozumienia i dlatego chyba najbardziej znana. Spowodowana jest częściowym zwężeniem lub całkowitą niedrożnością dróg żółciowych, a więc przyczynami natury mechanicznej. Mogą ją spowodować przede wszystkim kamienie żółciowe lub nowotwory, niekiedy też bliznowate zwężenie w zapaleniu pęcherzyka żółciowego i dróg żółciowych.

Wskutek tego odpływ żółci do jelita jest utrudniony lub całkowicie uniemożliwiony. Żółć spiętrza się, bilirubina i kwasy żółciowe przenikają do krwi, a następnie do tkanki, powodując żółtaczkę.

Z uwagi na to, że organizm próbuje zwiększyć wydalanie składników żółci przez nerki, mocz staje się piwnobrązowy. Kwasy żółciowe powodują świąd, w przypadku procesów zapalnych dochodzi do tego jeszcze gorączka. Wskutek zastoju żółci może również nabrzmieć i ulec uszkodzeniu wątroba.

Do mechanicznej żółtaczki zaporowej dochodzi jednak nie tylko w wyniku chorób układu żółciowego. Należy wziąć też pod uwagę choroby sąsiednich narządów, które mogą utrudniać odpływ żółci, np. nowotwory trzustki lub dwunastnicy.

Najczęstsza postać żółtaczki

Zwężenie lub niedrożność dróg żółciowych

Utrudniony odpływ żółci

Objawy

Żółtaczka wątrobowa

Ta również częsta postać żółtaczki powstaje w samej wątrobie, gdy zakłócona jest czynność komórek wątrobowych. Rozróżnia się żółtaczkę miąższową i różne formy hiperbilirubinemii.

Żółtaczka miąższowa powstaje, gdy ulegają uszkodzeniu komórki wątrobowe (miąższowe). Dochodzi do tego na przykład w przebiegu zakaźnego zapalenia wątroby,

Powstaje w wątrobie

Żółtaczka miąższowa

wskutek przewlekłego uszkodzenia komórek wątrobowych lub w marskości wątroby, ponieważ wówczas jest utrudnione wytwarzanie żółci w wątrobie i jej odpływ drogami żółciowymi. Postać ta może także towarzyszyć guzom wątroby.

Hiperbilirubinemia

Hiperbilirubinemia

Hiperbilirubinemią określa się wszystkie choroby, w których zaburzony jest metabolizm bilirubiny i jej zawartość we krwi przekracza 2 mg/100 ml. Tę postać żółtaczki dzieli się następująco:

* *Hiperbilirubinemia pozapalna* na skutek zapalenia wątroby, która występuje z napadami żółtaczki głównie u mężczyzn w wieku między 20 i 40 rokiem życia. Często ma związek z obciążeniami psychicznymi.

* *Hiperbilirubinemia rodzinna* (choroba Gilberta), żółtaczka wrodzona, występująca często w rodzinach, charakteryzująca się nawracającymi epizodami, przede wszystkim u młodzieży płci męskiej po okresie dojrzewania; przebiega jak żółtaczka mechaniczna po zapaleniu wątroby.

Powstawanie

Hiperbilirubinemia pozapalna i rodzinna powstają, gdy zaburzony jest proces transferazy kwasu glukuronowego i następuje nadmierne wydzielanie bilirubiny przez komórki wątrobowe. W obydwu chorobach są duże szanse na wyzdrowienie.

Zespół Criglera-Najjara

* *Zespół Criglera-Najjara* – choroba dziedziczna, rozpoczyna się zaraz po narodzinach ciężką żółtaczką, obrzmieniem wątroby i śledziony oraz zastojem żółci w wątrobie. Bilirubina gromadzi się w jądrach podstawy mózgu i powoduje uszkodzenie ośrodkowego układu nerwowego. Rokowania są niepomyślne, choroba często kończy się śmiercią chorego już we wczesnym jej stadium.

Zespół Dubina-Johnsona

* *Zespół Dubina-Johnsona* (żółtaczka przewlekła samoistna) także występuje często w rodzinach i dotyka głównie młodzież płci męskiej w wieku między 15 a 25 rokiem życia. Powodem tej choroby są zaburzenia wydzielania bilirubiny z zastojem żółci w wątrobie. Prowadzi ona do trwałej żółtaczki ze zmęczeniem, uciskiem w okolicy wątroby, powiększeniem wątroby,

niekiedy dodatkowo z obrzmieniem śledziony, zaburzeniami trawienia, nerwowością i zaburzeniami snu. Pod mikroskopem w komórkach wątrobowych można rozpoznać duże ciemnobrązowe ziarenka barwnika. Wątroba obserwowana z zewnątrz za pomocą endoskopu ma barwę niebieskoszarą podobną do barwy łupka. Rokowania w tej chorobie są niepewne.

• *Zespół Rotora* powstaje prawdopodobnie wskutek tego samego zaburzenia wydzielania bilirubiny co w zespole Dubina-Johnsona, również występuje częściej w rodzinach i ma przewlekły przebieg. Choroba rozpoczyna się jednak już przed okresem dojrzewania. Wątroba nie powiększa się, a w komórkach wątrobowych nie ma ziarenek barwnika. Także w tej postaci żółtaczki rokowania są niepewne.

Zespół Rotora

Istnieje też żółtaczka powstająca bez choroby układu wątroby i dróg żółciowych. Jej powodem jest nienormalna degradacja krwinek czerwonych, prowadząca do nadmiernego tworzenia się bilirubiny. Wątroba nie jest wówczas w stanie przetworzyć całości tego barwnika i oddać jej wraz z żółcią do jelita. Bilirubina dostaje się w dużych ilościach do krwi i wywołuje lekką zazwyczaj żółtaczkę, bez świądu i piwnobrązowego moczu.

Żółtaczka bez choroby układu wątroby i dróg żółciowych

Żółtaczka hemolityczna (przedwątrobowa)

Takim mianem określa się żółtaczkę powstającą w wyniku nienormalnego rozkładu krwi, gdy nie występują choroby wątroby i pęcherzyka żółciowego. W zależności od przyczyn wyróżnia się przede wszystkim następujące jej postacie:

Różne postacie

• *Żółtaczka hemolityczna* w przypadku dużych wybroczyn krwawych w organizmie, wywołana tym, że podczas rozkładu nagromadzonej krwi powstaje przejściowo za dużo wolnej bilirubiny.

- *Żółtaczka hemolityczna w zawale płuc*, gdy krew jest rozkładana w obszarach płuc odciętych od zaopatrzenia w krew na skutek zamknięcia naczyń. Tu również powstaje przejściowo za dużo wolnej bilirubiny, która przenika do krwi i powoduje żółtaczkę.
- *Niedokrwistość hemolityczna*, w której wskutek procesów chorobowych (np. zatruć lub tworzenia się przeciwciał przeciw krwinkom) dochodzi do zwiększonej degradacji krwinek czerwonych w naczyniach i komórkach. Następstwem tego jest także uwalnianie się dużej ilości bilirubiny, z którą wątroba nie może sobie poradzić.
- *Niedokrwistość złośliwa* na skutek nieprawidłowości w dojrzewaniu krwinek czerwonych w szpiku kostnym, gdy wskutek zaburzeń żołądkowych nie wykorzystywana jest konieczna do tworzenia się krwi witamina B_{12}. Także w tym przypadku powstaje za dużo wolnej bilirubiny, co prowadzi do żółtaczki.

Specjalne postacie żółtaczki

Poza opisanymi dotychczas podstawowymi postaciami żółtaczki występuje jeszcze kilka postaci specjalnych. Należy wymienić następujące:
- *Icterus gravidarum* – żółtaczka ciężarnych, charakteryzująca się powiększoną wątrobą, zastojem żółci i świądem. Po ciąży ustępuje bez komplikacji. Może wystąpić po silnych wymiotach ciężarnych w ostatnich 4 miesiącach ciąży, jeżeli dojdzie do uszkodzenia wątroby i zastoju żółci. Inną przyczyną może być zapalenie wątroby, które powstaje wskutek uwarunkowanej ciążą zmiany krwi i powtarza się w trakcie każdej z ciąż.
- *Icterus neonatorum simplex* – żółtaczka noworodków występująca u 50–90% wszystkich noworodków, pojawiająca się w ciągu pierwszych 3–5 dni życia i wkrótce ustępująca. Jest ona nieszkodliwym, niechorobowym następstwem niedojrzałości wątroby, co prowadzi do przejściowego niedoboru enzymu, ważnego dla wydzielania bilirubiny. Przejściowe zwiększenie rozpadu czerwonych krwinek u noworodków nie jest tak istotne, jak przez długi czas sądzono.

- *Ikterus neonatorum gravis* – rzadka, ale ciężka postać żółtaczki u noworodków, którą często obserwuje się u noworodków mających wątrobę w znacznym stopniu niedojrzałą oraz u noworodków z ciężkimi chorobami zakaźnymi (jak zapalenie wątroby, kiła, toksemia). Ponadto postać ta może wystąpić w przypadku wady rozwojowej dróg żółciowych, której skutkiem jest utrudniony odpływ żółci. Najpierw pojawia się lekka żółtaczka, która w przeciągu 2–3 tygodni się zaostrza.

- *Morbus hemolyticus neonatorum* – choroba hemolityczna noworodków; zagrażający życiu rozkład krwi z silną żółtaczką zaraz po urodzeniu, gdy istnieje niezgodność grup krwi (zazwyczaj czynnika Rh) matki i dziecka. Obecnie jednak, w ramach badań kontrolnych w trakcie ciąży można taką niezgodność w odpowiednim czasie wykryć i skutecznie leczyć.

W rzadkich przypadkach żółtaczka może mieć też inne przyczyny. Pod uwagę trzeba brać między innymi niedoczynność tarczycy, wrodzone choroby krwi i dziedziczną nietolerancję cukru mlekowego wskutek zaburzeń enzymatycznych. **Inne przyczyny**

Ze względu na to, że żółtaczka może mieć liczne przyczyny, konieczne są szybkie badania specjalistyczne. Leczenie uzależnione jest od wyników tych badań. Pierwszą wskazówkę co do przyczyn można często uzyskać, analizując zabarwienie skóry. W zależności od zabarwienia skóry wyróżnia się bowiem następujące postacie żółtaczki:

- *Flavinicterus* ze zmianą zabarwienia skóry na słomkowożółte, bez świądu – wskutek nienormalnie wzmożonego rozpadu krwinek czerwonych bez udziału układu wątroby i dróg żółciowych. **Flavinicterus**

- *Melasicterus* ze zmianą zabarwienia skóry na ciemnozielonawe, przez co sprawia ona wrażenie brudnej – pojawia się w przypadku dłużej trwającej niedrożności dróg żółciowych na skutek zapalenia, kamieni i guzów. **Melasicterus**

Rubinicterus

- *Rubinickterus* ze zmianą zabarwienia skóry na czerwonawożółte – w przypadku ostrego zapalenia wątroby.

Verdinicterus

- *Verdinicterus* ze zmianą zabarwienia skóry na zielonawożółte – gdy drogi żółciowe są zablokowane ze względu na kamienie lub zapalenie.

Gruntowna diagnostyka

Jednakże sama analiza zabarwienia skóry nigdy nie może zastąpić gruntownej diagnostyki. Składają się na nią badania laboratoryjne, rentgen, w razie potrzeby również wprowadzenie endoskopu do jamy brzusznej lub pęcherzyka żółciowego.

Zbyteczne jest zajmowanie się tu metodami leczenia żółtaczki. Jeśli występują choroby układu wątroby i dróg żółciowych, to dokładnie opisano już wcześniej metody ich leczenia. W przypadku wszystkich innych przyczyn umiejscowionych poza układem wątroby i dróg żółciowych konieczne jest docelowe leczenie tych chorób, które może przeprowadzić jedynie lekarz.

Zmywanie ciała wodą z octem

W łagodzeniu występującego w żółtaczce świądu skuteczne okazało się zmywanie całego ciała kilka razy dziennie letnią lub chłodną (nigdy ciepłą) wodą z dodatkiem octu. Do 0,5 l wody dodaje się 1 łyżkę stołową octu spirytusowego używanego w gospodarstwie domowym. Jeśli nie pomaga to w wystarczającym stopniu, lekarz przepisze odpowiednie leki na świąd.

Nie drapać się!

W miarę możliwości należy powstrzymać od drapania, nawet jeśli jest to trudne. Następstwem drapania są często drobne uszkodzenia skóry, z których mogą się rozwinąć czyraki, które – jeśli dalej będziemy się drapać – zostaną przeniesione na odległe obszary skóry.

Indeks

A

akupunktura 52, 114, 123
alkohol 9, 10, 29, 30, 34, 35, 41, 42, 44, 45, 46, 47, 58, 59, 63, 64, 69, 72, 73, 74, 96, 97, 130
antybiotyki 50, 54, 58, 61, 93, 98
Atropinum sulfuricum 112

B

barwniki żółci 13, 14, 15, 56, 136
bąblowica wątroby 37
bąblowiec 37
Berberis 120
białko 14, 23, 24, 25, 28, 63, 79, 80, 95, 105, 120
biegunka 38, 91, 92, 107, 109, 120, 127
bilirubina 14, 56, 76, 105, 136, 137 i nast.
biliwerdyna 14, 15
biokatalizatory 23
Bircher-Benner 35, 45, 47, 59, 70, 129
błędy w odżywianiu 28, 40, 41, 44, 49, 130
bolesność uciskowa 92, 107, 109, 127
ból gardła 51
ból głowy 38
bóle brzucha 40, 92
bóle pod prawym łukiem żebrowym 35, 36, 90, 91, 92, 107
brak apetytu 34, 43, 51, 57, 76, 92, 127, 128, 129
buraki czerwone 79

C

calculi biliarii 120
Chelidonium (glistnik jaskółcze ziele) 60, 98, 120
choleryk 87
cholesterol 13, 14, 67, 105, 106, 117, 118, 119, 120

choroba Banga (bruceloza) 53
choroba Besniera-Boecka-Schaumanna 55
choroba Handa-Schüllera-Christiana 67
choroba Pfeiffera 52
choroba von Gierkego 66
choroba Wilsona 67
choroby pęcherzyka żółciowego 69, 84 i nast.
choroby przedrakowe 87, 106, 125, 126
ciąża 63, 85, 105, 140, 141
colocynthis 112
cukrzyca 41, 64, 85, 133
cytostatyki 77, 80, 134, 135
czarna herbata 69, 97
czerwone buraki 79
czynniki raka, psychiczne 78

D

dieta Birchera-Bennera 70
dieta cywilizacyjna 10, 28, 131
dieta kilkudniowa oparta na kleiku z ziaren zbożowych 60, 65
dieta oszczędzająca wątrobę 46
dieta w chorobach pęcherzyka żółciowego 95, 96, 101
dieta w raku 79
dieta wątrobowa 46, 58, 59
dieta wegetariańska (jarska) 35, 45, 47, 59, 79, 129
dieta z kleikami 95
dieta żętycowa 59, 70
dipirol 15
dni głodowe 94
dolegliwości reumatoidalne 51
dostarczanie tłuszczu 41
dreszcze 38, 91, 107, 109
drogi żółciowe 13, 16, 90, 117, 121, 142
drżenie 82

dwunastnica 17, 126
dystomiaza wątrobowa 37

E
endoskopowe usunięcie kamieni
    żółciowych 117
enzymy 14, 17, 22, 23

F
fałd spiralny (łac. plica spiralis) 12, 16
fibrynogen 24, 25, 26
fizjoterapia 71, 100, 102, 113, 122
flavinicterus 141
flora bakteryjna w jelitach, zaburzenia
    123

G
geny 124, 125
glikogen 24, 25, 34, 66
glikokol 22
glistnik jaskółcze ziele 47, 98, 99,
    121
glukoza 25
głowa meduzy 65
gorący zwój 113
gorączka 38, 51, 52, 91, 92, 107, 109,
    137
gorączka maltańska 54
goryczka 99, 121

H
hematogenic oxidation therapy 71
hemochromatoza 66
hiperbilirubinemia 138
hiperbilirubinemia, pozapalna 138
HOT 71

I
icterus gravidarum (żółtaczka
    ciężarnych) 140
icterus juvenilis intermittens 138
icterus neonatorum gravis 141
icterus neonatorum simplex (żółtaczka
    noworodków) 140

J
jeżówka 60, 61, 80, 99

K
kamienie barwnikowe 120
kamienie cholesterolowe 106, 117, 118,
    120
kamienie żółciowe 56, 66, 87, 88, 90,
    103 i nast., 125, 132, 137
kamienie żółciowe, leczenie 110
kamienie żółciowe, leczenie holistyczne
    117
kamienie żółciowe, leki homeopatyczne
    112
kamienie żółciowe, objawy
    ostrzegawcze 106
kamienie żółciowe, operacja 110
kamienie żółciowe, przyczyny 104
kamienie żółciowe, roślinne środki
    lecznicze 102
kamienie żółciowe, rozpuszczanie
    lekami 103
kamień jednorodny 105, 106
kamień złożony 105, 106
katar 45
kawa ziarnista 69, 96, 97
kąpiel trzy czwarte 102, 123
kolka żółciowa 91, 108 i nast., 129
komórki gwiaździste Browicza-Kupffera
    20
komórki wątrobowe 13, 16, 20, 21, 42,
    49, 55, 64, 67, 76, 137, 138
kompres parowy 114
kompresy z siana 48, 61, 71, 102, 113,
    123
krew 19, 20, 21, 23, 40, 71, 74, 89, 140
krętki 54
krwinki białe o działaniu
    cytotoksycznym 79
kuracja rzodkwią i oliwą 122, 131
kwas chenodezoksycholowy 118
kwas glukuronowy 14, 17, 22
kwas mlekowy 25
kwasy żółciowe 13, 136, 137

L
leczenie enzymami 80
leczenie komórkowe 61, 80
leczenie pijawkami 102
leczenie raka, holistyczne 77, 133

leczenie tlenem 61
leki homeopatyczne 47, 60, 70, 98, 101, 112, 120
limfocyty 79

M

Magnesium carbonicum 98
Magnesium phosphoricum 98
marskość wątroby 29, 34, 35, 36, 43, 49, 57, 58, 62 i nast., 73
martwica wątroby 63
melasicterus 141
miażdżenie kamieni żółciowych 116
mięta pieprzowa 99, 121
mniszek pospolity 98, 99, 121
morbus hemolyticus neonatorum (choroba hemolityczna noworodków) 141

N

naczynia oboczne 65, 83
nadciśnienie wrotne 65
nadużywanie alkoholu 28, 41, 44, 74
nadużywanie leków 29, 30, 34, 42
nadwaga 28, 85, 130, 133
naświetlanie, radioaktywne 77, 134
nerwowość 43, 56
niedobór potasu 82
niedobór substancji witalnych 28, 74
niedokrwistość 38, 42, 65, 76, 140
niepokój 82
nietolerancja tłuszczów 57, 64, 91, 107
niewydolność wątroby 33, 34
nudności 34, 38, 51, 64, 76, 91, 107, 109, 127
nux vomica 113

O

objawy skórne wątrobowe 57
obrzmienie wątroby 35, 113
odbijanie się 43, 91, 92, 113
oddawanie stolca, nieregularne 34, 69, 119
odtruwanie 22
odżywianie, niepełnowartościowe 74
odżywianie, pełnowartościowe 29, 44
odżywianie, zdrowe 45, 74, 129

okłady 48, 49, 61, 71, 100
okłady borowinowe 100, 123
osłabienie 38, 43, 57, 63, 64, 65, 67, 69, 82, 127, 128, 129, 132
osłabienie czynności wątroby 33, 34
osłabienie perystaltyki jelitowej 26
osłabienie serca 36
ostropest plamisty 35, 38, 47, 61, 70, 71, 94, 99, 115, 120, 121
otłuszczenie komórek wątrobowych 43

P

pałeczka brucelozy 54
pęcherzyk żółciowy 11 i nast., 19, 84, 88, 90, 93, 107, 108, 117, 121, 126, 127, 129, 131, 132
piasek żółciowy 87, 90, 103 i nast., 116
pierwotniaki 54, 89
piwo 73, 108
pleśnie 72
pobudzenie do wymiotów 38, 76, 91, 92, 112, 113, 127
podophyllum 120
pojedynczy kamień 105
pokrzyk wilcza jagoda 98
powstrzymanie się od alkoholu 47, 58, 65, 69
pozostałości leków weterynaryjnych 32
pozostałości po nawozach 31
prątki Kocha 53
preparaty z jemioły 80
produkty zawierające wiele substancji witalnych 74
protrombina 24, 26
przekrwienie bierne wątroby 36, 67, 68, 83
przerzuty do wątroby 74
przewód pęcherzykowy 12
przewód żółciowy 12, 13, 19, 20, 107, 126, 128
przewód żółciowy wspólny 12
przywry 37, 38
Pulsatilla (sasanka) 98

R

rak dróg moczowych 128
rak dróg żółciowych 124 i nast.

rak pęcherzyka żółciowego 75, 87,108, 124, 126
rak w układzie żółciowym 75, 125
rak wątroby 34, 72 i nast.
rak wątroby pierwotny 72, 73, 74
rak wątroby wtórny 74, 75
riketsje 54
rodzaje żółci 15
ropnie wątroby 38, 39
roślinne środki lecznicze 60
rozpuszczanie kamieni żółciowych 117, 118
rubinicterus 141
rumianek 94, 99, 112, 121
ryzyko związane z odżywianiem 44, 86

S
salmonella 53
schorzenia dróg żółciowych 63, 84 i nast.
schudnięcie 129
senność 33, 82
sherry 73
siano 48, 71
siarczany 22
skłonność płciowa 85, 125
sok z rzodkwi 99, 100
spożycie soli kuchennej 69
stan podżółtaczkowy 57, 91, 136
stawianie baniek 61, 101, 102, 123
sterkobilina 14
sterkobilinogen 14
stłuszczenie wątroby 28, 32, 36, 40, 41, 42, 44, 46
stłuszczenie wątroby 40 i nast.
stłuszczeniowa marskość wątroby 43
szlam żółciowy 104
szyjka pęcherzyka żółciowego 12
śpiączka wątrobowa 81, 82
środek przeczyszczający 30, 119
środek uspokajający 28, 30
środki nasenne 28, 30
środki przeciwbólowe 9, 30, 98, 111, 112
środki spożywcze, dozwolone i zabronione 96, 97
świąd 51, 57, 58, 66, 127, 136, 137, 139, 140, 141

T
Taraxacum (mniszek pospolity) 98
terapia neuralna 101, 102, 114, 123
tłuszcz 17, 22, 24, 28, 34, 36, 40 i nast., 57, 59, 64, 67, 70, 85, 86, 91 i nast., 107, 108, 120, 130
triada wrotna 20
trombina 26
trucizny 17, 22, 29, 31, 32, 35, 58, 62, 72, 73

U
ucisk pod prawym łukiem żebrowym 64, 67, 107
uczucie osłabienia, niejasne 76
uczucie pełności 34, 43
urofuscin 15

V
Verdinicterus 142

W
wątroba 10 i nast., 18 i nast., 107, 109, 137, 139, 140
wątroba zastoinowa 67
wątroba, anatomia 18
wątroba, budowa 20
wątroba, zadania 21
werdoglobina 14
wermut 73
węglowodany 24, 25, 28, 41, 46, 66, 130
whisky 73
widłak 47, 70
wino 30, 44, 73, 97, 108
wirus zapalenia wątroby typu A 50
wirus zapalenia wątroby typu B 50
wirus zapalenia wątroby typu C 50
wirusy 49 i nast.
witaminy 17, 23, 24, 25, 70, 74, 79, 140
wlewy dojelitowe, gorące 114
wodobrzusze 38, 43, 63, 65, 67, 69, 71, 82
wódka 30, 44, 73
wrota wątroby 20
wycięcie pęcherzyka żółciowego 116
wymioty 38, 76, 91, 92, 107, 109, 112, 113, 127, 140

wzdęcia 34, 43, 57, 64, 65, 91, 92, 107, 109, 112, 113, 121, 127

Z

zaburzenia funkcji wątroby, ogólne 33 i nast.
zaburzenia snu 43, 139
zaburzenia trawienia 51, 56, 57, 76, 88, 91, 92, 93, 94, 101, 107, 115, 129, 139
zakażenie pasożytnicze wątroby 37
zakażenie, krwiopochodne 89
zakażenie, wstępujące 89
zakażenie, zstępujące 89
zanik wątroby 62, 64
zapalenie miedniczek nerkowych 108
zapalenie otłuszczonych komórek wątrobowych 43
zapalenie pęcherzyka żółciowego 88 i nast., 104, 107, 109, 117, 119, 126, 131, 132, 137, 141, 142
zapalenie pęcherzyka żółciowego, leczenie 93 i nast., 120, 121, 122
zapalenie pęcherzyka żółciowego, objawy 90 i nast.
zapalenie pęcherzyka żółciowego, ostre 87 i nast.
zapalenie pęcherzyka żółciowego, przewlekłe 87 i nast., 115, 125, 128, 129
zapalenie pęcherzyka żółciowego, przyczyny 88 i nast.
zapalenie pęcherzyka żółciowego, ropne 39, 114
zapalenie trzustki 108
zapalenie wątroby 43, 50 i nast., 63, 64, 69, 137, 140, 141
zapalenie wątroby kilakowe 55
zapalenie wątroby typu A 50 i nast.
zapalenie wątroby typu B 50 i nast.
zapalenie wątroby typu C 50, 52
zapalenie wątroby, bakteryjne 53 i nast.
zapalenie wątroby, leczenie 58 i nast.
zapalenie wątroby, ostre 49 i nast., 141
zapalenie wątroby, przewlekłe 36, 42, 56 i nast., 66, 73
zapalenie wątroby, toczniopodobne 55, 77

zapalenie wyrostka robaczkowego 39
zaparcia 91, 92, 107, 109, 123, 127
zawał serca 39 i nast., 108
zawał wątroby 39 i nast.
zawroty głowy 38, 107, 138
zespół chorego budynku 32
zespół Criglera-Najjara 138
zespół Dubina-Johnsona 138, 139
zespół Rotora 139
zioła przeciwwzdęciowe 57, 64, 127, 138
zmęczenie 57, 64, 127, 138
znużenie 33, 43, 56, 57, 63, 128
zropienie pęcherzyka żółciowego 92, 98, 107
zwapnienie tętnic 39, 85, 119

Ż

żółć 10 i nast., 22, 84, 86, 87, 88, 104, 118, 137
żółta gorączka 52
żółtaczka 37, 51, 52, 56, 63, 66, 67, 82, 91, 107, 109, 120, 128, 136 i nast.
żółtaczka ciężarnych 140
żółtaczka hemolityczna przedwątrobowa 139
żółtaczka mechaniczna pozawątrobowa 137
żółtaczka miąższowa 137
żółtaczka noworodków 141
żółtaczka wątrobowa 137
żylaki na brzuchu 43, 65
żyła wrotna 19, 20, 21, 24, 40, 65, 74, 83

Notatki

Gerhard Leibold

Choroby pęcherza i nerek

Format: 145x205 mm
Objętość: 128 stron
Oprawa: miękka
ISBN: 83-7250-201-3

Propozycja otwierająca nowy cykl poradników zdrowotnych NATURA DLA ZDROWIA. Seria w przystępny sposób przybliża temat naturalnej profilaktyki zdrowotnej. Choroby pęcherza to przypadłość, której łatwo przeciwdziałać, stosując zalecane przez autora metody wzmacniania odporności. Poradnik został napisany przystępnym językiem, a czytelny układ książki pomaga poruszać się po niej szybko i sprawnie. Polecany dla osób ceniących zdrowie.

Edycja 2005 Agencja Wydawnicza Jerzy Mostowski
Janki k. Warszawy
ul. Wspólna 17A, 05-090 Raszyn
tel.: (0-22) 720 35 99, fax: (0-22) 720 34 90
e-mail: awm@morex.com.pl
www.morex.com.pl

NATURA DLA ZDROWIA

Choroby nowotworowe

PAUL MOHR

terapie biologiczne wspomagające
leczenie nowotworów

Paul Mohr

Choroby nowotworowe

Format: 145x205 mm
Objętość: 136 stron
Oprawa: miękka
ISBN: 83-7250-207-2

Książka jest kolejną propozycją z serii NATURA DLA ZDROWIA. Nowotwór jest drugą pod względem częstotliwości przyczyną zgonów. To schorzenie wydaje się wciąż nieuleczalne. Wskaźnik wyzdrowień w wyniku operacji, naświetlania czy chemioterapii wynosi zaledwie około 30%. Można go jednak zwiększyć przez równoległe prowadzenie leczenia terapiami biologicznymi. Książka prezentuje najważniejsze metody biologiczne stosowane we współczesnej terapii nowotworów. Mogą one znacznie zwiększyć skuteczność leczenia i szanse na sukces w walce z chorobą. Metody te nie zastąpią jednak podstawowego leczenia – mogą je jedynie uzupełniać.

Edycja 2005 Agencja Wydawnicza Jerzy Mostowski
Janki k. Warszawy
ul. Wspólna 17A, 05-090 Raszyn
tel.: (0-22) 720 35 99, fax: (0-22) 720 34 90
e-mail: awm@morex.com.pl
www.morex.com.pl